ソーシャルジャスティス

小児精神科医、社会を診《み》る

内田 舞

文春新書

1406

ソーシャルジャスティス　小児精神科医、社会を診る◎目次

第2章　炎上への処方箋　*66*

プロローグ　妊婦のワクチン啓発で気づいたThemとUs

科学を無視したコロナ禍のアメリカでの妊娠

２０２０年、私は渡米14年目の医師として、また妊婦として、新型コロナパンデミックを経験しました。

アメリカのコロナ対策に関して、トランプ政権下の政府と一部メディアの「科学の無視」はひどいものでした。「コロナは存在しない」「マスクで我々の口を封じようとしている権力者には屈しない」と感情に訴える、政治的なメッセージが混ざった非科学的な情報がソーシャルメディアなどで拡散され、多くの人が間違った情報を元に煽《あお》られた「なんとなく」の感覚に従い、パンデミック初期から堂々とソーシャルディスタンスを取らない、マスクを拒否する、大勢で会食をするといった行動に出ました。政治的分断が医学や科学的事実の解釈にまで直接影響を及ぼす事態に私は驚きました。

しかしウイルスは、人々の感情や信仰や政治的思想などとは関係なく、感染していくものです。こうしてアメリカでは科学を無視することで、病院には人工呼吸器が必要なくらい重篤な患者さんが次々に運ばれ、国内だけで１００万人以上の方がコロナの影響で亡くなる結果になりました。

　また、ワクチンがまだ存在しなかったパンデミック初期は、「誰かがかかってしまった」と他人事で終わる状況でもなく、感染者が存在する限り、人々の生活は制限され続け、自分への感染の恐怖と隣り合わせだった時期で、２０２０年のアメリカでは、とにかく自分や家族の感染を避けたいと怯《おび》える毎日でした。私はこのようなアメリカのコロナ禍の中で医師として働き、また３人目の子どもを授かりました。３人目はほしいと思っていたものの、実際妊娠がわかったときには、喜びよりも不安の方が大きかったのです。

　妊娠中のコロナ感染は重症化のリスクが同世代の女性よりも高く、重症化してしまった場合は早産の確率が上がったりと、赤ちゃんも数々の身体的なリスクにさらされます。ただでさえ妊娠中は肺が子宮に押し上げられて呼吸が苦しい状況なのに、もし感染してしまったらどれだけ息苦しいことだろう、発熱が続いた場合にはどれだけお腹の中の赤ちゃんに負担がかかるだろう、夫や上の２人の息子たちにはどんな思いをさせてしまうだろうと考えました。

また、アメリカの学校は通常学級に戻っておらず（多くの公立学校は２０２０年３月より13か月間閉鎖され、リモートのみの授業でした）、我が家は一人にはしておけない５歳と３歳の子どもたちが「ママ、お腹空いた。ママ、これどうやってやるの？　ママ、怪我しちゃった」と言う中で、リモートワークを強《し》いられていた時期でした。

何か月間も育児と仕事の役割を夫と午前午後で交代してやりくりし、私の子どもたちはいつになれば普通の学校生活や習い事を経験できるだろうか、日本の両親は孫に会えるだろうか、そしてパンデミック中の、リソースが限られた育児と仕事に挟まれた苦しい生活に私自身はいつまで耐えられるだろうか、と感じていたのです。

妊娠中のワクチン～「接種するリスク」と「接種しないリスク」

ワクチンの安全性や有効性を示す治験の結果や、妊娠には影響を与えにくいと考えられるｍＲＮＡワクチンの仕組みを吟味して、妊娠34週だった２０２１年１月初旬にワクチンを接種できたときには、安堵《あんど》の気持ちでいっぱいでした。何十年間にもわたるｍＲＮＡ研究が高い予防効果と安全性を有するワクチン開発につながったことへの感動、また最前線でコロナ治療にあたっている医療者への感謝とともに、「もうすぐ普通の生活に戻れるかもしれない」という希望が胸を占めました。

さらに、世界でも初めてに近い段階で妊娠中にワクチンを接種させてもらった者として、後に続く妊婦さんのためになる情報を提供したい思いが強く、ワクチン接種をした妊婦の追跡研究に参加しました。私の妊娠の経過や、出産後の赤ちゃんの健康状態に関して追跡調査を許可し、また私がワクチン接種して産生した抗体が胎盤を通ってお腹の中の赤ちゃんに渡り、赤ちゃんをもコロナ感染から守ってくれることを確認する研究にも参加しました。

私自身は、妊婦さんのワクチン接種のデータがなくとも、既に充分に存在した基礎研究のデータを見て、このワクチンが私の妊娠や赤ちゃんに悪影響を及ぼすことはなく、重症化予防のベネフィットは大きいと自信を持てましたが、やはり多くの方が大丈夫と思えるには臨床研究が必要です。その後、私も参加した臨床研究によって、妊娠中の新型コロナワクチン接種の安全性と有効性を示すエビデンスが積み上がり、現在では妊娠中の接種は世界的に推奨されています。

私が妊婦としてワクチンを接種した２０２１年１月の時点で、日本では未だ新型コロナワクチンは承認もされておらず、ｍＲＮＡワクチンのメカニズムの説明も十分になされな

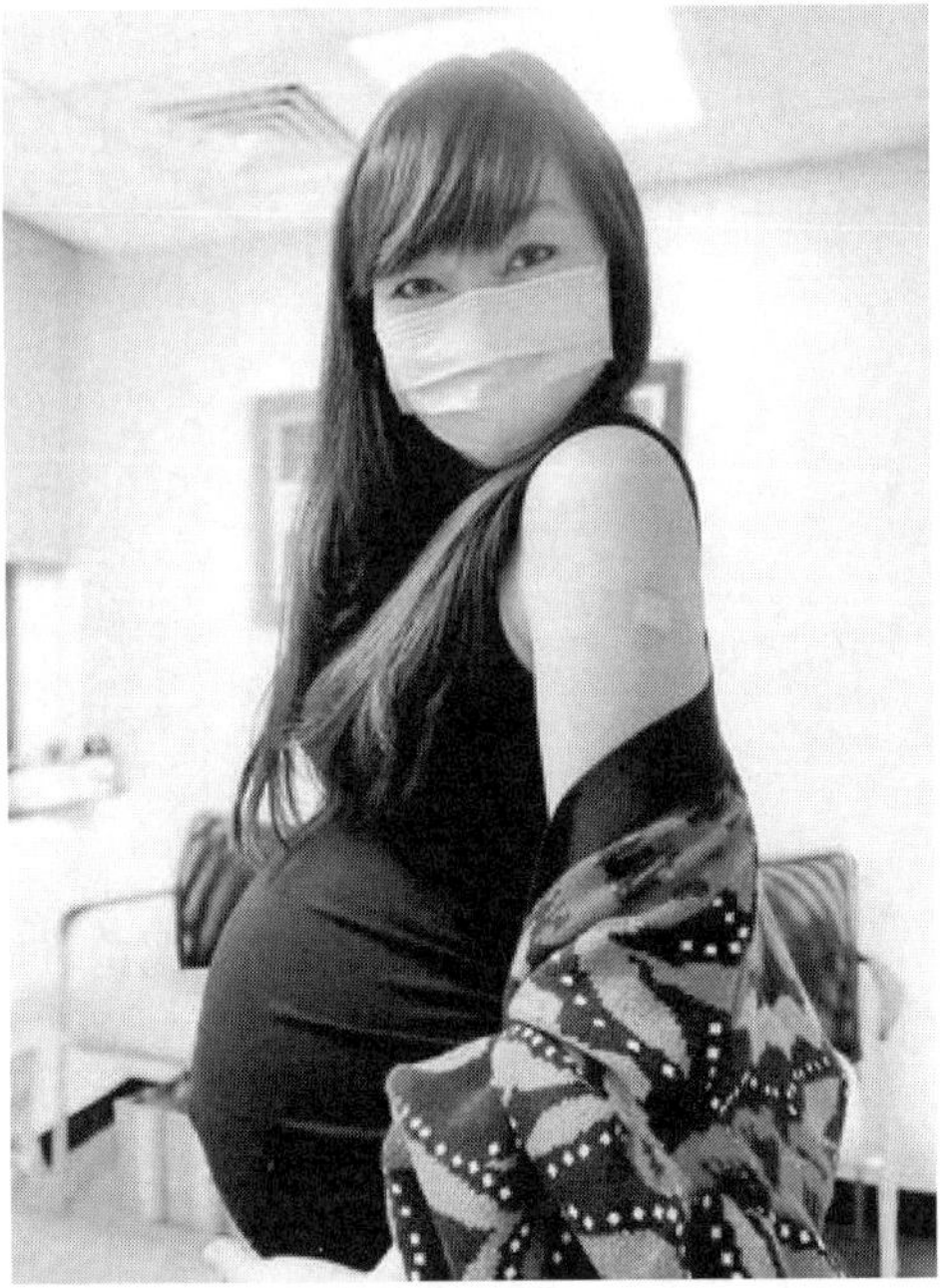

妊婦としてワクチン接種した直後

いなかで、「なんとなく怖いワクチンなんじゃないか」と漠然とした不安を抱えた方が多い時期でした。

　また、ワクチンを打つと流産する、不妊になるという全くのデマが知識層にまで蔓延《まんえん》しており、お腹の大きな私がワクチンを接種した姿を写した写真を私の勧めている病院がSNSに投稿すると、想像を遥かに超える反響がありました。毎日のように日本メディアからの問い合わせがありましたが、その頻度の高さからもインタビューの質問内容からも、どれだけ日本人がワクチンへの忌避《きひ》感を抱いているかが伝わりました。

その状況を理解した上で、私はワクチン接種の意義、そして現段階でわかっている情報とわかっていない情報を考え合わせて、「接種するリスク」と「接種しないリスク」を天秤《てんびん》にかけた説明をしてきました。ワクチンを打つべきかどうかを決めかねている日本の方々、そして特にお腹の中の赤ちゃんのことを一番に考えて悩んでいる妊婦さんたちに、正確な科学情報を基に自分の気持ちにしっくりくる判断をしてもらいたいと強く思ったからです。

確かにmRNAワクチンという、従来とは異なるメカニズムで開発されたワクチンが全世界的に大規模接種されるといった事態は歴史的にも初めてのことで、たとえワクチンの安全性がさまざまに説明されても、不安が完全には払拭《ふっしょく》されないのもよくわかりました。mRNAの性質を考えると長期的な悪影響は非常に考えにくいのですが、本当にないのだろうか、といった不安も多く聞かれました。でも、だからこそ、日々積み上げられていったデータを示しながら、一人ひとりの接種の判断を、とりわけ感染するとリスクの高い妊婦さんたちの判断を後押しするような情報発信ができればと思ったのです。

その結果、社会に対して大きくポジティブなインパクトを残すことができました。共に新型コロナワクチンに関する正確な科学情報を伝えたいと志す異なる専門知識を持った医師仲間にも出会い、メディアからの取材対応や行政機関への講義、非営利プロジェクト

「こびナビ」によるSNSのライブ配信といった活動を連日行いながら、日本のワクチン接種率を世界有数の高さに上げることに貢献できたことを誇りに思っています。この活動は医療啓発活動に授けられる賞である、「上手な医療のかかり方アワード」の最優秀賞「厚生労働大臣賞」を受賞しました。

偽の「死産報告書」

しかし、啓発活動を続ける中で直面したのが誹謗中傷《ひぼうちゅうしょう》の言葉の数々でした。最悪の母親、ブス、幼児虐待、発達障害を作り出す母親、といった言葉はSNS上で数千件にもおよび、「死産報告書：死因は母親のワクチン接種」などと書かれたメッセージも届きました。もちろん誹謗中傷によって私の妊娠経過が変わるわけもなく、誹謗中傷の言葉がコロナウイルスの性質やワクチンのメカニズムを変えるわけでもないので、実際の生物学的な影響力は無に等しく、私自身がお腹の中の子ども、そして家族を守るために妊娠中の接種を決意した事実も変わりません。

しかし、その選択が正しいと論理的にわかってはいても、お腹の中の赤ちゃんが死ぬという言葉をかけられ続けると、胎動が気になってしまったり、また、妊娠中にワクチンを接種したとメディアで紹介された私自身が健康な子を産まなければ、日本のワクチン忌避はさらに深まりかねないと要らぬ責任を感じてしまいました。

親（特に母親、あるいは将来母親になるであろうと思われる人）は、自分自身と家族（あるいは将来の家族）を守るための責任ある判断を迫られる場面が多々あります。しかし、その判断をするために必要な情報は必ずしも手の届きやすい場所にあるわけではありません。

そして最良の判断をバックアップしてくれるサポートに出会えないことも多いのです。それにもかかわらず、どんな判断をしたとしても、親としての判断は批判の対象になってしまう。妊娠中に新型コロナワクチンを接種した私へのネガティブなコメントはこういった現象を象徴していました。多くの判断を迷う母親たちの声に触れるなかでも同じことを感じ、実際、ワクチン接種をした妊婦さんのなかには、近しい人から批判をされた人も少なくなかっただろうと推測します。

ワクチン啓発活動を応援して下さる方々からのコメントの中にも、しばしば悪意のない「マイクロアグレッション（microaggression、小さな攻撃）」が潜《ひそ》んでいました。

「最初はいわゆる『勝ち組女性』の意見かと疑っていましたが、目にするたびに真剣さが伝わってきました」という応援メッセージを見て、「勝ち組女性」とはどういうイメージなのだろう、そして勝ち組とカテゴライズされた女性の意見はどうして疑われるのだろう、と考えさせられました。仮に発言しているのが男性の医師であったならば、「勝ち組男性」という言葉が出てきたでしょうか？　専門家としての意見が学歴の高さゆえに疑われることがあったでしょうか？

　また、誹謗中傷で「死産報告書」を送られた件について、涙を交えて話すと、「女の涙は演技、泣き落としと言った悪しき偏見が向けられてしまうのが現実ですし、他者の目をもう少し気にして脇の甘さをなくしていただきたい」という声も寄せられました。胎児が死ぬと脅された妊婦が泣くという自然な感情さえも「これだから女は」と批判の対象になること、また一見味方と思われる人からの牽制的な声には二重の辛《つら》さがありました。

「マイクロアグレッション」とは、「政治的文化的に疎外された集団に対して日常の中で行われる何気ない言動に現れる偏見や差別に基づく見下しや侮辱、否定的な態度のこと」と定義されますが、日本社会の中で「女性」が未だにマイノリティであること、無意識のバイアスから生まれる小さな攻撃は日常の中のあらゆる場面に潜《ひそ》んでいることにも気付かされました。

科学、ソーシャルジャスティス、人間に惹かれた生い立ち

私は現在ハーバード大学医学部アソシエイトプロフェッサー、またマサチューセッツ総合病院の小児うつ病センター長という立場で、小児精神科医として子どもの精神疾患を診察する臨床、人間の感情や判断に関わる脳機能を解明する脳科学研究、そして医学生や研修医の医学教育に携《たずさ》わっています。研修医時代を過ごしたイェール大学で出会った愛するチェリストの夫と共に息子を3人育てており、子どものメンタルヘルスは単に職業にとどまらず、まさに自身に直接関わるテーマとして情熱を持って取り組んでいます。

人生を通してテーマとなっているものが三つあります。科学、ソーシャルジャスティス（社会正義）、そして人間が大好きだということです。振り返るとこの三つのテーマがちょうど重なった部分が小児精神科医という職業だったのだと思います。

私が生まれたときに母は医学部の4年生でした。幼少の頃の思い出として覚えているのは、母が医師国家試験のために猛勉強する姿、その後は研修医として駆け回っていたこと。大抵保育園の中で一番最後だったお迎えのあと、母とスーパーに寄って「今日の夕飯は何にしようか」と話したこと。たまにどうしても保育園に行きたくないと訴え、母の病院に付いていき、医局にあった箱庭療法の砂や人形で遊んでは他の先生に声をかけてもらったこと。

分子生物学者の父は、母の国家試験と同時期に博士論文を書いていて、大人は皆勉強しているものだと思っていたこと。父が仕事の後いつも急いで文字通り走って帰ってきていたこと。母の当直の日は、スポーツマンの父からサッカーや野球など様々なスポーツを教えてもらったこと。まだまだ「女性の医師」も「働くお母さん」も珍しかった時代に母が医師になる姿を見ることができただけでなく、その母をこよなく愛し、自分のキャリアも前進させる父、そんなカップルに育ててもらえたことが、どんなにラッキーだったことか、当時の私は全く知りませんでした。

父の研究のために、小学校入学前にアメリカに引っ越し、小学校時代はアメリカ、スイス、日本の３か国で５回の転校を重ねました。誰にでも合う生い立ちではなかったと思いますが、きっと両親は私の性格や反応を見ながら引っ越しや転校の判断をしてくれたのだと思います。

私は幼い頃から「人」が大好きでした。違う国に引っ越して転校する度《たび》に新しい友達を作る機会にワクワクし、様々な人と会話をするのが好きでした。また、人間がどのように感じて考えて行動に出るか、そんな人間がたくさん集まってできる社会では、グループとしての動きがどう生まれるのか、ということを考えるのも好きでした。人間が何かを感じたり考えたりするのを司《つかさど》っているのが脳という臓器です。その脳がどんな働きをしているかを知りたいと小学生の頃に強く思ったことも覚えています。

アメリカやスイスで過ごしたことで、多様性、多文化、そして人種差別を経験しました。ヨーロッパはアメリカ以上に白人至上主義の伝統が残っており、アジア人は馬鹿にしていい対象というような扱いを頻繁に受けました。同い年くらいの子どもたちに公園で囲まれて、ドイツ語（スイスの公用語の一つ）が話せないアジア人であるという理由で唾をかけられたこともありました。

人種差別の経験を経て日本に帰国したときには、小学校でのいじめが気になりました。小学校の文集で友人から寄せられたメッセージを見てみると、クラス内でいじめられている子がいたら、私が必ずその場でいじめっ子を止めたことや、仲間はずれにされた子に積極的に声をかけたりしていたことを書いてくれた友人が多く、実際理由のない偏見や差別、いじめといったものの無意味さに関してホームルームの時間に演説したこともありました。

人は、他人に完全に理解してもらえていると錯覚したり、理解されずに悩むこともあるものですが、実は理解されるためには努力しなければいけないということも、この変化に富んだ幼少期に学ぶことができた気がします。異文化を経験し、各国の常識の違いを体感する中で、周りからの期待に応えるのではなく、私自身はどのような人間になりたいかということもよく考えました。

また、私は幼い頃から科学が大好きでした。保育園の頃、分子生物学者の父が私を寝かしつける際、ヨットはどのように風の力を使って前に進むのか話してくれたのを覚えています。

小学生の頃にはリチャード・ドーキンスの『遺伝子の川』（草思社文庫）という本の内容を、ところどころ要約して聞かせてくれました。高校時代の生物の授業でプランクトンを探す課題が出されたときは、放課後も顕微鏡でプランクトン探しに熱中し、見つけた一つひとつをスケッチしました。その課題をこなす中で、偶然ミドリムシの分裂の瞬間を目にし、何千万年も繋《つな》がる遺伝子のリレーの中で新しい個体が誕生した瞬間を目にしたことに感動し、なんだか天から光が降りてきたような心地がしたのを覚えています。

高校2年生の夏休みにはアメリカの大学が主催した女子高校生のための科学プログラムのサマーキャンプに参加し、犬のロボットを作製しました。このサマーキャンプを通じて科学的な探究と創作の楽しさに目を開かされ、科学への思いを再認識した私は、科学を通して人間を理解し、人間と社会を支える医師になろうと決意しました。

科学が大好きでソーシャルジャスティスの意志が芯にある私は、科学が軽視されることにより、誰かが苦しむ様子はどうしても黙って見ていられません。日本のワクチン忌避を放っておけなかったのもそのためです。

オンラインヘイトとメンタルヘルスの関係

そして、私自身にも向けられたヘイトや誹謗中傷発言についても、いじめと同じ構図を感じ、ときにはそれが本人の意図や同意と関係なく拡散されて「炎上」といった現象になっていく様子は、メンタルヘルスとの関係からも見過ごせないと思うようになりました。

ネットメディアやソーシャルメディアでの人間関係の衝突や敬意を欠いた言動は、パンデミックが進行してから、各国で増えているという調査結果が出ています。例えばアメリカではオンライン上の会話で相手を中傷する発言がパンデミック前と比べて70%も増え、オンラインゲームなどでの喧嘩や悪口などが40%も増えたと報告されています。また、アジア人に向けられたネット上でのヘイトスピーチはアメリカでは倍増したそうです。

これは延々と続くコロナ禍の不安やもどかしさ、人々のメンタルヘルスの不調の表れでもあるのではないかと言われています。アメリカでは２０２１年に、私の専門分野である子どもたちのメンタルヘルスが「国家の危機と認定せざるを得ない状況にある」と国と学会による発表があり、日本ではコロナ禍に小中高校生の自殺者数と小中学生の不登校者数が過去最高を記録したとの報道があったように、子どものメンタルヘルスは未だかつてない危機にあります。

ただ、コロナ禍では、子どもに限らず辛い思いをしていない人はいなかったでしょう。将来の計画がなかなか立てられないもどかしさ、コロナの新たな波が来るたびに感染者数の増減を気にして外出を控えたり、友人との集いをキャンセルしなければならない残念な気持ちなど、終わりが見えない薄暗い気分、やり場のない思いを抱え、ＳＮＳでつぶやいたり書き込んだりした人も多いと思います。

しかし、そうした不安やもどかしさは心の正直な発露であって共感できる一方で、顔の見えない漠然とした「敵」を見つけたときに誹謗中傷に早変わりしてしまうこともあります。実際、コロナ禍では、ネガティブなコメントやソーシャルメディアでの攻撃的なやりとりも日常的に目にするようになりました。

炎上案件に巻き込まれる当事者である場合にはもちろん、自分宛のものでなくとも、誹謗中傷に溢《あふ》れたＳＮＳやコメント欄を日常的に目にしていては、鬱々《うつうつ》としてしまったり苛《いら》立《だ》ちを覚えたり、何かと心に悪影響があるものです。

対面と違って匿名で発言できるバッファーのない空間であるからこそ、ある意味で本音むき出しの攻撃的な発言がなだれ込む。そのことは理解できても、でも、どうしてこんなに頻繁に「炎上」などという現象が生じるのか？　どうして何かを推奨する派と忌避する派の分断の溝はここまで深いのか？　そして、こうした分断は埋められないのだろうか？　自分自身に向けられた誹謗中傷や周囲の炎上を眺めながら、このような疑問を抱き、自問自答するようになりました。その結果、悲観的な気持ちになることもあるのですが、脳科学を研究する精神科医の立場からも、私は分断は乗り越えられるものだと希望を持っているのです。

“Them”と“Us”の色分け

ワクチン啓発活動を通して、多くのワクチンを忌避する方々とお話しする機会がありました。そこで毎回気付かされたのが、科学的事実を提示してワクチンを推奨する私たちも、ワクチンに対して漠然とした不安を抱く方々も、自分と家族などの大切な人たちの健康を守りたいと思う気持ちは同じだということでした。

ウィルスという見えない敵と戦うこと、重症化予防という可視化の難しいベネフィットを理解することの難しさ、薬害エイズ問題などの社会的に負のものとともに語られる医療の歴史の重み……。全てが複雑に融合して、漠然とした「怖い」という負のイメージが浮かぶ中で、ワクチン接種という大切な人を守る選択をすることは、想像以上に難しかったのだとわかります。

私は科学的事実を検証した結果、世界中で公的に推奨されているワクチンの接種を勧めてきました。しかし、ワクチン忌避の源にあると感じる「個人や社会の過去のトラウマの影響」にも、「明瞭に理解できないリスクやベネフィットに対する不安や混乱」にも、またそれにより構築された漠然とした負の印象から抜け出せないことにも、とても共感するのです。

“Them”と“Us”のように対比される対象に見えても、実はそんなに単純な色分けではないのです。その色合いの複雑さも含めての共感があったからこそ、私たちのワクチン啓発活動は分断を超えて、日本の接種率を上げることに貢献できたのではないかと感じます。そんな気づきの声が共鳴するたびに、社会を前進させられることにも気付かされたパンデミックでした。

「分断を超える」色が生まれた

私は以前、政治的分断や思想の分断といった社会の「分断」とは、グループが真っ二つに割れ、意見が相互にまったく交わらない状況を表しているという印象を持っていました。また「分断を超える」とは、多様な意見が認められるというよりも、全員が同じ意見を持つようになることだと思っていた気がします。しかし、実際にはその色分けの中には様々なグラデーションがあり、また色は様々な濃淡で多様に混じり合うのです。

経験や思いを共有することで、全員が「同じ色」になることはなくても、あると思っていた分断の線を超えて、個人が他の個人にエンパシー（empathy、共感）を感じること。経験がそれぞれ異なっていても、他者の思いや経験に思いを馳《は》せてみること。エンパシー一つひとつはささやかで心の内にとどまることが多くとも、エンパシーが寄り集まって何かを強く変えたいという変化の原動力になることもある。コロナ禍のアメリカではより可視化された分断もありますが、逆に「分断を超える」現象も目に見える社会変化をもたらしました。

例えば、コロナ禍のアメリカで広がったStop Asian Hate運動。新型コロナウイルスが最初に確認されたのが中国だったためにアジア人に向けられたヘイトに対して、Black Lives Matter 運動（黒人に対する警察の暴行や差別意識を撲滅するための運動）に影響される形で生まれた差別撲滅に向けたムーブメントでした。奪われた命は私だったかもしれない、ヘイトを向けられたのは私だったかもしれない――遠い誰か他人の身に起きたことだから関係ないと遠ざけるのではなく、無実の人が人種という属性によって暴行を受けたり、殺されたりしてしまう事態を目にした多くの人が「このままではいけない」と感じ、立場を超えて行動を起こしました。

特定の人種や性別に対して無意識に偏見を抱くのは誰であっても同じ。だからこそ無意識の偏見に気付く努力の大切さが広く語られ、その結果、教育現場や職場環境にも構造的変化がもたらされました。また、アジア人のスーパーヒーローの映画が作られたり、メディアのなかで描かれる人間像にも今までにない変化が見られました。もちろん人種差別やアジア人ヘイトは未だ存在し、分断がなくなったわけではありません。しかし、皆が同じ色になったわけではないけれど、多くの人の共感が「分断を超える」色として交わり、社会の変化を促したことは間違いありません。

変化というものは起きてから気付くことも多く、起きる前は望む変化後の社会がどのようなものかを想像できずに、諦めの心が先行してしまうこともあります。しかし、こうした激動の時代を生きてみると、「自分の力で変化を起こすことができる」、そして「変化を望んでもいい」と勇気が湧いてくるのです。

「ではどうしたら炎上や分断を超えられるの？」という質問に私も明確な答えはありませんが、心理学も含めた脳科学の知見、そして私自身の経験や子どもたちと過ごす日々から気付かされたヒントをこの本で紹介させてください。

デザイン　中川真吾
本書は書き下ろしです。

第Ⅰ部　炎上はなぜ起きるのか

第1章　脳科学で考える炎上のメカニズム

「承認欲求はあって当然」の脳科学

新型コロナのパンデミック禍で、ネット上のネガティブなコメントが世界的に増えたことが指摘されましたが、全ての批判や否定的な意見の表明が「悪い」わけではありません。自分の大切にしているものを侮辱されたときには、正直な思いを伝えてもいいと思いますし、事実と異なることが拡散された結果、社会への悪影響が懸念される状況で、それを正そうとする人たちがいることもありがたいことです。しかし、近年の「炎上」の荒波に乗ったネガティブな意見表明のほとんどは、そのようなパーソナルで心のこもった意見ではないと感じるのです。

私は小児精神科医として人間の感情のコントロールに関わる脳機能の研究も行っている脳科学者ですが、「炎上」という現象に関しても脳科学をベースに考えることがあります。

人間の脳がどうして一定の機能を持つようになったのかを考える上では、生物の進化の過程を考えなければなりません。それは人間を含む生物は「生存」に有利になるように進化し、その過程で脳も身体も生存に関わる機能が培《つちか》われてきたからです。

　人間は社会的動物であり、ほとんどの場合一人では生きられません。家族という単位、友達という群れ、さらに多くの人間が集う社会、あるいは旧石器時代などにおいては部族という集合体で、複数人で協力し合って生存を維持してきた動物なので、他者との関係を築く機能は、進化の過程で生存に関わる大事なものとして発達しました。その結果、集団のリーダーや憧れの人から承認を得ること、あるいは集団内の多くの人と情報を共有できる関係にあることを、生存において有利になる「好ましいこと」と認識し、脳内で大量のドーパミンが放出されるメカニズムができあがったのです。このドーパミンの放出は私たちに興奮や快楽といった感情をもたらします。

　このような脳の機能があるため、人間は他者からの「承認」を快楽と見なし、他者からいいリアクションがほしい、他者とつながりたいと感じるのです。ソーシャルメディア上で「いいね！」といったリアクションをもらう仕組みは、この脳の報酬に反応する機能を巧妙に衝《つ》いていると言えるでしょう。

また、放出されたドーパミンの量が下がった後には、もう一度同じ量のドーパミンがほしい、つまりは「もっと承認がほしい」と思うもので、ときとしてSNSに中毒的になってしまうのはこのためです。

SNSのプラットフォームも、こういった脳にとっての報酬メカニズムをうまく衝くように作られているので、「承認」の快楽を欲すること、またはその中毒性の餌《え》食《じき》になってしまうのは、人間としてある意味では自然なこととも言えます。このような現象は誰にでも起こり得るので恥じる必要はありませんが、中毒性のあるお酒や砂糖などと同様に、SNSもやはり使い方を工夫してうまく楽しむ必要があるのです。

「生存」最優先の扁桃体〜不安が冷静な判断力を抑制する

脳や身体の機能は生物としての「生存」のために築かれてきたと書きましたが、脳機能の中心でもある「感情」も同じです。私たちの脳は、生存のために好ましいものには好意的な感情を抱き、好ましくない対象には不快な感情を抱き、その感情に従って、その後にどんな行動を取るかを秒速で、無意識下に決める働きを有しています。

感情に支配された脳機能というのは、短期的な生存を守るためには的確な判断をすることが多いのですが、その状況下では、あくまでも短期的な生存を優先するため、長期的ないい決断に繋がる冷静な判断力や考察力を司る脳機能は抑制された状態なのです。

脳機能の進化には非常に長い時間がかかるため、我々の先祖が狩猟採集をして洞窟に住んでいた時代から脳機能は大きくアップデートされていません。外敵から身を守られ安全で、食料にもありつけるような現代では、日常的に接する状況のほとんどが直接「生存」に関わるものではなくなりましたが、相変わらず脳は「生存に好ましい」か「好ましくない」かを優先し、感情を司る脳部位である扁桃体は強く活性化し、強い感情を抱く機能を保っています。また、現代社会における不安や抑うつを感じる状況というのは、先祖たちの時代とは違うので、その状況下で感じている感情が正しいものかどうかの判断も難しくなりました。

例えば、旧石器時代においては「危険な動物と遭遇したかと思ったが、実は風で木が揺れているだけだった」と、当初不安を感じたことに対して、やはり不安に思う必要はなかったと明確な答えを出せることが多かったかもしれません。しかし、現代社会の中で我々が抱くネガティブな感情、あるいは人間関係や職場環境に関しての悩みは、その人の感じ方によるところも大きく、どんなに考えても「ネガティブに感じる必要があるのか」それとも「不安を感じなくてもいいのか」、疑問の答えが出ないことも多いのです。だから、現代社会において我々が抱いた不安や怒りや悲しみといったネガティブな感情がなかなかすっきりせず長く続いてしまったり、さらに悶々と深いネガティブ思考へとはまっていってしまうことがあるのです。そして、その際、長期的なベネフィットに繋がる冷静な判断ができない状況も出てきます。

ネガティブな感情に支配されると「生存のために行動しなきゃ」と無意識に焦燥感に駆られて行動に出てしまうものです。コロナ禍であれば「生存のための情報」を集めるため、ブログやYouTubeや記事を探したこともあるでしょう。また、「自分の家族の生存のために得た情報を拡散しなきゃ」と、自分自身まだよく理解できていない情報を、様々な人にシェアしてしまったこともあるでしょう。生存のための感情に従って、無意識下に脳がこのような行動を促しているのです。

さらに、不安感が強いときに、「自分の生存のためには、他人はこうしなきゃいけない！」と他人をコントロールしたくなるのも脳機能の一つです。

そのため、今回のパンデミックのような誰もが不安の中に置かれた状況においては、特に攻撃性が高まる傾向があり、結果、分断やヘイトが生まれやすいタイミングでもあったと言えます。日本でもパンデミック初期において感染者への差別や攻撃のニュースがあったように、感染対策に関する考えをめぐって、身近な人との間での分断を経験された人も多いのではないでしょうか。

承認欲求とネガティブな感情のはけ口、フィルターバブルの危険

このような脳機能のはたらきが行き交うネットコミュニケーションにおいて、強い承認欲求と悶々と持続するネガティブな感情のはけ口となるのが、ＳＮＳなのではないでしょうか。簡単に解決策を見いだせないゆえの不満の感情を吐き出し、意見の違う誰かを攻撃することで、同調する人の「いいね！」が付く。それは「いいね！」ボタンを押された人にとっては、味方を得たような安心感を与えてくれるのかもしれません。

でも、自分の匿名性や相手の顔が見えないことにより相手を叩くことへのハードルが下がり、叩く力の強い刺激的な意見に同調的なフォロワーが増えることも少なくありません。ＳＮＳの速いペースに乗って、「部族」のリーダーであるインフルエンサーに影響されながら、みんなが同じ方向へ大挙して向かうような荒波が作られる。その中で流れに反した意見を言うと、すぐさま大勢から叩かれることも多く、反対の意見表明ができない雰囲気

が出来上がる。さらに意見が先鋭的であるほど、あるいは影響力のある人の意見ほど、その巻き込み力は強くなる。この極端な例が「炎上」と言われるものなのかもしれません。「伝える」ことと「論破する」こと、あるいは「証明する」ことは別物ですが、感情に火がついた議論というのは、時にヒートアップし、その過程ではおかしな論理のねじれや心理的な操作を加えた意見が必ずと言っていいほど登場します。

そうなった場合、相手の論理の弱点を衝いて崩そうと思うあまり、言葉尻を捉えたり揚げ足をとったりして喧嘩になり、当初の思いから外れて問題の本質は置いていかれることも少なくありません。何が議論されているかを理解しようという真摯《しんし》な気持ちよりも、「ある人を攻撃したい」というネガティブな気持ちだけが先走ってしまうこともあります。

特にネットコミュニケーションにおいては、SNSの速いペースに乗って、初めて目にした他の人の意見を熟考せずにまるで自分の意見のように発信してしまうこともありますし、流れに反した意見を表明できない雰囲気と、同じ情報源をフォローし合う人たちの「フィルターバブル」（同質性の中の情報の偏《かたよ》り）の中で、お互いを間違った一方向に導いてしまうこともあります。

SNSの一つのバブルの中で起きていることのほとんどは、一歩そのバブルの外に出てみると実はとっても小さなものだということがわかるにもかかわらず、その中ではとても大きく見えてしまうものです。

論理のねじれに気づく努力

例えば、第3章で私の息子たちが通う保育園で行われている同意教育について、「他人との関係の中でのYES・NOの意思表明をし、相手のYES・NOを受け入れることの重要性」の話を紹介しますが、この話を以前ネットの記事で発信した際に、「アメリカのある保育園で同意教育が行われている」という情報と「アメリカの方が日本より性犯罪が多い」という情報をつなげ、「アメリカのように幼少期からの同意教育を行っていると性犯罪につながるから、同意教育をしない日本で育ってよかった」という意見が寄せられたことがありました。

まず第一に、息子たちが保育園で学んでいる「同意」というのは性的同意ではなく、人間関係全般におけるもっと幅の広いものですが、同意教育が性犯罪を減らすという社会科学研究はたくさんあります。そして、私の息子が通う保育園はアメリカを代表してはおらず、残念ながら同意教育がアメリカ全土で行われているわけではありません。

さらに、日米の性犯罪報告数については、性交同意年齢が日本では13歳（２０２３年、16歳に引き上げる法改正案が閣議決定された）で、アメリカでは州ごとに違いますが16〜18歳なので、例えば15歳の子どもと大人との性交がアメリカでは性犯罪として認定され、日本では認定されないというケースもありますし、また性被害の通報のしやすさという点でも日米は異なるので、同列の比較はできません。しかし、現に日本よりアメリカの方が性犯罪が多いとしても、「同意を幼少のころから大切にするかどうか」という本質的な点に関しては、日本でもアメリカでも「大切にした方がいい」と言えるのではないでしょうか。

このような明瞭な議論の飛躍に関しては、ＡならばＢ、ＢならばＣ、という論理が全く繋がっていないという欠陥に比較的簡単に気付くことができるかと思いますが、実はもう少し見えにくい形で心理的に操作されたような論理の間違いもたくさんあります。こういったねじれた論理によって相手を弱い立場に押し込もうとする心理操作は実社会では職場のハラスメントや、ドメスティックバイオレンス（ＤＶ）、虐待やいじめにおいて典型的なもので、精神科医としてそのような状況にいる患者さんが自分の置かれた状況を言語化できるように、そして自分の感覚を信じられるように手助けすることもあります。

同じように、ＳＮＳ上の議論でジェンダーや人種差別といったセンシティブな話題をめぐり、自分の意見が置いてきぼりになってしまった感覚があるとか、あるいは議論の方向性が本質から離れて何かおかしい方向に行ってしまっていると感じるときには、自分の感覚を信じて、いったんじっくりその事象を見つめてみることが大切です。

自分は相手から何か心理的な操作を受けてはいないか、相手の論理の運びはおかしくないか。そうであれば、その心理操作や論理のねじれに名前をつけて言語化することによって、自分の感情や考え、相手の感情や考えが明確化されることもあるのです。このような論理の整理は自分の心を守ってくれる強い鎧《よろい》の役割を果たしてくれます。

その言語化に役立つかもしれない言葉をいくつか紹介します。

Whataboutism（そういうあなたはどうなのよ?）

日常会話でもネット上の議論でも頻繁に現れる論理のねじれの一つにWhataboutism（ホワットアバウティズム）があります。「そっちこそどうなんだ主義」や「おまえだって論法」と表現されることもあるWhataboutismとは、自分の問題点を指摘されたと感じたときに“What about you?”（そういうあなたはどうなのよ?）、“What about that?”（あれはどうなの?）と相手の欠点などを指摘することで、本来の論点である自身の問題点に関する議論を避けることです。

子どもが「早く寝なさい」と言われて「ママとパパはなんで起きてるの？」と文句を言ったり、部屋が散らかっていることを指摘されて「そういうママはお皿の洗い方が雑」と親の家事についてケチを付け始めたり、「そういうあなたはどうなのよ？」という言葉が飛ぶ光景は家族の会話でもよく見られます。

アメリカでWhataboutismという言葉が主流メディアで使われるようになったのは冷戦中で、旧ソ連で国家を批判したジャーナリストが逮捕されるといった非人道的な政策が西側諸国から非難される度に、旧ソ連が「アメリカでは黒人が殺されているじゃないか」などとアメリカの問題に論点をずらすコメントを出したことがきっかけでした。現実にはアメリカの人種差別も、旧ソ連での言論の規制も問題であるはずなのに、「あなたの国はどうなの？」と相手国の問題を指摘することで、自国の問題を「よし」あるいは「仕方なし」としてしまうねじれた論法、これがWhataboutismです。

また、例えば動物愛護や環境保護のために菜食主義を心掛けている人に対して「動物実験を経て人間に適用された医療は受けるくせに」「飛行機に乗るくせに」と「あれはどうなの？　これはどうなの？」と相手の主義主張が１００％完璧に実行されていないことを批判するのもWhataboutismです。実際は１００％でなくとも動物や環境のために個人個人ができる限りのことを行うのは奨励されるべきことですが、１００％ではないことを突いて個人の努力や選択を揶揄《やゆ》して、「菜食主義の意義などない」という錯覚を生じさせるようなWhataboutismもあるのです。

アメリカから日本への提言は無意味？

オンラインで私自身に向けられたWhataboutismもありました。例えば、コロナ禍で、私はアメリカから日本に向けて、コロナワクチンの重要性や安全性について発信し、日本のコロナ対策に対して助言をし、多くの方の健康に貢献できたと信じています。しかし、中には「そういうアメリカはどうなのよ？」と「コロナ対策で大失敗しているアメリカからの、コロナの医療情報発信は無意味である」という意見にも頻繁に遭遇しました。

実際アメリカのコロナの感染状況は最悪でした。「コロナは存在しない」という誤情報に加えて、感染予防効果が立証されているマスクに関しては、「政府の指示で口を塞《ふさ》がれてたまるか」と言論の自由をめぐる問題にすり替え、堂々とマスクを拒否する人も多かったですし、このような政治的な分断が科学情報の解釈にまで影響し、ワクチン接種率などの数字にも如実に現れてしまいました。

私の住むマサチューセッツ州の街は1回目のワクチン接種率が99％なのに対して、中西部や南部の州では3割にも満たない街もあるのです。ワクチンを開発した国でありながら、非接種者の多さと感染対策を無視する行動によって、アメリカは世界一のコロナ死者数を出した国になってしまいました。

しかし、このようなアメリカのコロナの状況の悲惨さが私が解説する科学情報の正誤を変えるのでしょうか？　私が日本に住んでいても、アメリカに住んでいても、発信を届ける対象がアメリカに住むアメリカ人であっても日本に住む日本人であっても、解説するコロナウイルスやワクチンに関する科学論文の内容は変わらないのです。

同じように、ジェンダー問題に関する発信に関しても「そういうアメリカはどうなのよ？」と、「アメリカの方が日本よりも性犯罪が多い」から、「アメリカに住む日本人医師が指摘する日本のジェンダー問題の考察には耳を傾ける必要がない」というコメントを受けることがあります。

この現象を逆の視点から見てみたエピソードを紹介させてください。

2021年度に入学したハーバード大学医学部生は6割が女性でしたが、私が受け持った授業でこの学年を教えたとき、「日本では女性の合格者を減らすために医学部入学試験の点数が組織的に操作されたスキャンダルがあったんだよ」と話し、日本の医学部の女性差別問題を議論したことがありました。

その議論で印象的だったのが、授業を共に担当した90代の白人男性内科教授が「自分が医学生だったときには女性は数人しかいなかったことに比べたら、今年女性が6割入学したことは大きな進歩だ。しかし、ハーバードもここまで進歩したからもう進歩しなくていいわけではなく、まだまだ進歩し続けなければならない」と発言したことでした。この議論で「アメリカの医学部は日本の医学部の女性差別に比べるとずっとましだから、これ以上進歩しなくてもいい」という意見は一切出ませんでした。

先に書いた通り、日米の性犯罪報告数に関しては、性犯罪の定義も、通報のしやすさも違うために同列に比べられるものではありませんが、それはここでは論外のことで、アメリカの性犯罪が日本より多かったとしても少なかったとしても、例えば日本のジェンダー問題、後の章で語る同意教育、メディアの表象についての議論は、社会として前進させなければならないと思うのです。

私の住むアメリカの問題を「そういうあなたはどうなのよ?」とどんなに指摘しても、

日本のジェンダー問題はなくならないのです。

Strawman Strategy（藁人形法、かかし術）

Strawman（ストローマン）とは中身のない「藁人形《わらにんぎょう》」や、本物の人間に見えるけれども実は偽物の「かかし」を指しますが、Strawman Strategy（ストローマンストラテジー）、つまり「かかし術」とは相手の論点に直接反論するのではなく、相手の論点とは違うダミー（かかし）のような論点を別に作り出して、その「かかし」を攻撃する手法です。「かかし」を攻撃することで、ずれた論点に焦点が移り、本来の論点に関しては議論しなくてもいいような状況が生まれることもあれば、相手の人格を攻撃する「かかし」作りによって聴衆が相手に向ける信頼を失わせることもある手法です。

　このように説明すると、そんなに手の込んだ手法をどんな人が使うのかと疑問に思われるかもしれませんが、実際に「かかし術」が使われるのは、攻撃側も無意識でいる場合がほとんどです。人間の脳とは自分を守るために時に相手を攻撃するなど、無意識下で驚くほど複雑な操作をしてしまうものなのです。

　家族の会話で「夜9時までに帰ってきてね」と友達と出かける子どもに伝えたら、もっと友達と時間を過ごしたいと不満に思った子どもからは「そんなに早く帰らなきゃいけないなんて、お母さんは私に友達を大切にしてほしくないと思ってるんだね！」という答えが返ってくるかもしれません。あるいは国会の予算審議で「教育関連にはこれだけの予算が必要だ」という主張に対して、反対の政党からは「そんなに教育に予算を付けるということは、あなたは国防や国際関係はどうでもいいと思っているのですね」と反論があるかもしれません。

どちらも「そんなことは言っていないのに……」と思う状況なのは、主張の本質の外に返答のポイントがあるからで、こういったものが「かかし術」の典型例です。

フットボールのコリン・キャパニック選手が国歌斉唱で跪く理由

例えば、アメリカではBlack Lives Matter運動を批判する動きの中で「かかし術」が使われました。コリン・キャパニックという有名なアメリカンフットボール選手が、無実の黒人が警察に暴力を受けたり、殺されることへの問題提起として、試合前の国旗掲揚と国歌斉唱の際、起立を拒否して跪《ひざまず》くパフォーマンスをしました。アメリカのスポーツの多くは、試合前に国旗掲揚、そして国歌斉唱が行われますが、キャパニック選手の行動に感銘を受けたアメフトの選手や、彼の意見に賛同する他のスポーツの選手が、この国歌斉唱の際、続いて跪いてみせました。

しかし、この行為を見て、主にBlack Lives Matterを支持しない共和党支持層の人々は「我々を守ってくれているアメリカ軍の象徴である国旗に対して起立しないなんて、国のために身を捧げている軍人たちに無礼だ。愛国心が足りない」とキャパニックを批判し、ナショナルフットボールリーグ（ＮＦＬ）は組織として国歌斉唱時に跪くことを禁止し、キャパニックはフットボール選手としての職を失うという不運に見舞われました。

跪くという行為は、欧米では結婚のプロポーズのとき、教会で祈るとき、王室の人に会う際などのように、敬意のポーズでもありますが、では国旗に対して跪く行為が無礼とみなされたのはどうしてなのでしょうか。

そもそも「国歌斉唱」や「国旗掲揚」に象徴される愛国心は、それに限らず様々な形があっていいはずです。黒人が警察官に殺されることへの抗議が愛国心のない行為とみなされたわけですが、殺された黒人もまたアメリカ人です。アメリカの国旗である星条旗は、下着や水着の模様に使われたりすることもあるのに、アメリカ国民に問題提起をするために跪くことが「無礼」とみなされるのはあまりに納得のいかない出来事でした。

キャパニックが跪く理由は無実の黒人が警察に殺害されてしまうような現状への問題提起を行うためであり、アメリカ軍に無礼を働くことも、国旗を否定することもその目的ではありませんが、全く本人の主張と違うことについて「かかし」が作られ、「かかし」が攻撃を受けたのです。「かかし」を攻撃することで、攻撃者たちは、黒人が警察に殺害されていることには言及せずにキャパニックの発言力を奪おうと試みたのです。

その後、キャパニックはフットボール選手としての職を失ったものの、翌年ナイキのCMに「全てを犠牲にしてでも信念を持って挑むべきことがある」というキャッチフレーズとともに登場したり、数々の黒人をエンパワーするプロジェクトを立ち上げたりして支持を得ています。

「かかし」は本質の議論に取り組むことが、自分や自分のグループの非を認めることにつながるとき、そして自分の非を認めたくないがために相手への反感が高まるときに無意識に使われることが多いのです。警察が黒人への暴行や黒人差別を助長してしまっている罪を認め、それを議論するよりも、キャパニックがアメリカ軍に無礼を働いているという「かかし」を攻撃する方がずっと楽に思えるアメリカ人も多かったことでしょう。しかし、書き出してみると明らかなのに、議論の最中にいるときにはなかなか気付きにくいのが

「かかし術」なのです。

Gaslighting（悪いのは被害者？）

Gaslighting（ガスライティング）とは、本来心理的な虐待やいやがらせなどの被害を受けている人に「実は自分が悪いのではないか」などと思わせる心理的な操作法で、「悪いのは被害者？」とでも訳せるでしょうか。１９４４年に映画化もされた『ガス燈』という舞台劇に由来しているそうです。夫が家の中で様々な細工をして不可解な現象を起こし、怯える妻を勘違いだと言って精神的に追い込んでいくというストーリーです。

様々な手法がありますが、一番頻繁に使われるのは、加害者側が怒ったり傷ついたりしている被害者に「あなたはセンシティブすぎる」「あなたの感じ方が間違っている」、あるいは悲しむ相手には「心が弱い」などと、「被害」は思い込みに過ぎず、そう思う感性や心に問題があるかのような言い方をすること。あるいは「休んだ方がいい」「専門家の診察が必要だ」などと一見サポートするかのような、しかし侮辱を意図した言葉をかけること。また、発言の後に傷ついた相手の顔を見ながら「冗談だよ」と自分の言葉の重みを軽減させようと試みることにより、自分が行ったいじめや虐待の責任は取らず、相手の「弱さ」に全ての責任を押し付ける方法なども含まれます。

加害者側は全く罪悪感もなく、無意識にGaslight（相手の正常な思考を奪う）していることが多いので、注意していないと、被害者は自分が被害者だという事実を忘れてしまうことも少なくありません。Gaslightingはここで紹介する心理操作手法の中でも特に精神医学の世界ではもっとも身近なもので、ドメスティックバイオレンス（ＤＶ）で見られることが多いのですが、ネットコミュニケーションでも頻繁に顔を出す心理操作なのです。

大坂なおみのブロックは「心が弱い」？

近年目の当たりにしたGaslightingの例として、「Twitter上でテニスの大坂なおみ選手を批判したニュースキャスターのメガン・ケリーの投稿がありました。

２０２１年、全仏オープンで、大坂なおみ選手が「自分のメンタルヘルスを守るために」試合後の記者会見に応じないことを発表し、長いあいだ鬱気分を感じていたことを自身のＳＮＳ上で告白すると、大きな反響を呼びました。

このような影響力ある発言は、世界ランキング２位の座にある彼女にしかできないことです。最初は批判的な報道をするメディアもありましたが、トップアスリートとして常にその言動が注目される大坂選手が「自分の精神的な健康を守る」というメッセージを発信したことは、スポーツ界とメンタルヘルスの関わり方に多くの人が目を向けるきっかけとなり、またアスリートの心理状態に影響を与えるメディア報道の在り方について議論を呼び起こし、他のアスリートの背中も押しました。

この発言直後、大坂選手が水着で表紙を飾るスポーツ誌やファッション誌が発売されましたが、これを見たメガン・ケリーは、「記者会見は拒否するのに雑誌の撮影はできるのか」と大坂選手を批判したのです。これに対して大坂選手は、撮影は半年以上前に行われたことを説明し、Twitter上でメガン・ケリーをブロックしました。すると、メガン・ケリーは「大坂なおみにブロックされました」とスクリーンショットを投稿し、ブロックした大坂選手に対して「強いのはテニスコートの上だけなのね」と揶揄したのです。

メガン・ケリーは当時50歳のジャーナリストでしたが、見当違いの発言で23歳の大坂選手を傷つけた自分の非には目を向けず、大坂選手のブロックを取り上げて馬鹿にする姿には多くの批判が向けられました。公的機関でもない「個人」のＳＮＳ上で、自分の精神衛生を守るために、見たくない投稿や自分をいじめる人をブロックすることは何も恥じることではありません。自身に嘲笑を向けるフォロワーに閲覧とコメントの機会を与えないようにした大坂選手の選択は当然のものだと思います。

自分がいじめた相手に「ブロックされました」とSNSで見せびらかし、その相手の「心の弱さ」をあげつらい、自分自身が誰かをいじめているという問題から目を逸《そ》らしたこのケースは、典型的なGaslightingです。私はメガン・ケリーと大坂なおみ選手のやり取りを見て、このようないじめっ子のGaslightingに付き合うことはない、「日常の対面の関係でそんなことを言われたら、その人と関わらないようにする」と思う相手に対しては、オンラインでも同じようにブロックをためらう必要はないと思うようになりました。

Ad Hominem（人格を否定することで、その人の意見を否定する）

Ad Hominem（アド・ホミネム）とはその主張自体に具体的に反論するのでなく、発言者の人格攻撃によって発言の信頼性を失わせようとするもので、「人格攻撃」「人身攻撃」と訳されることもありますが、これも様々な場面で目にするねじれた論理です。

私の容姿も肩書も科学情報の正誤を変えない

例えば、ワクチン啓発活動の中で、発言者の私の人格を否定することで、私の発言内容には耳を傾けないように仕向ける手法も頻繁に目にしました。私が妊娠中にワクチン接種をした写真が広くメディアで使用されましたが、妊娠34週のお腹と、接種部位に絆創膏《ばんそうこう》が貼られたのが見えるよう肩を出した写真でした（本書16頁）。

私にとっては歴史的なパンデミックの終わりの始まりを象徴する嬉しい瞬間の記念写真なのですが、その写真に関して、肩を出しているという点で性的なコメントをされることも少なくなかったのです。そして、面白いもので、ひとたび私が「性的な対象」に振り分けられると、私の発言の学術的な価値が低く受け取られることも理解しました。

実際は接種後の絆創膏を貼った肩を出した私がセクシーであってもなくても、私が発信するワクチンの科学情報の正誤は変わらないのに、印象操作の効果というものは興味深いと思わされた一件です。

また、私の役職を否定することで、私の発言を否定しようと試みるAd Hominemも目立ちました。私は現在ハーバード大学医学部のアソシエイトプロフェッサーですが、ワクチン啓発に関わり始めた当初はアシスタントプロフェッサーという役職でした。アメリカの大学の教員の職階に関しては、日本とは全く違うシステムなので、同列に訳せるものではありません。アメリカの中でも大学や学部ごとに異なる基準があり、ハーバード大学医学部に関しては、終身雇用のテニュア制度はなく、研究の論文数やその分野に与えた臨床開発のインパクトなどを指標にLecturer, Instructor, Assistant Professor, Associate Professor, Professorと昇進していきます。

そういった肩書を日本語の大学教員の肩書に訳すことは到底無理なのですが、アシスタントプロフェッサーが和訳される場合は通常「助教授」とするそうです。そんな無理に訳された日本語の役職名を見て「日本には存在しない『助教授』などという肩書を使って経歴詐称している」、よって「この人の発信する科学情報は信用できない」という短絡的なコメントもよく目にしました。

私は日本人史上最年少でアメリカの臨床医となりましたが、イェール大学とハーバード大学で研修医として働いた日々を含め、ここに至るまでいかに苦難の連続だったか、自分はどれだけ努力したかを知っています。その辛さを全く知らない人に「経歴詐称」という言葉をかけられると、つい苛立ちを覚えることもありました。

しかし、一息ついて考えてみると、それも論外のことで、私がハーバード大学の助教授であっても、日本の大学の准教授や助教であっても、あるいは大学にまったく職を持たない者だったとしても、私が解説したワクチンの科学情報の正誤は変わらないと気付くのです。

どんなに発言者を否定しようとしても、発言内容の正誤は変わらないのです。

Middle Ground Fallacy（両極論の中間地点が正しいわけではない）

両極論の中間地点が正しい位置だという論理の間違いを、Middle Ground Fallacy（ミドル・グラウンド・ファラシー）、「中道の誤謬《ごびゅう》」といいます。「分断を超える」には双方の共感が必要なのは間違いありませんが、双方の対話や経験の共有の末に行きつく結論が、常に両極の意見の中間にあるわけではないのです。

例えば公民権運動において目指すべき終着点は、人種も性別も関係なく誰にも平等に権利が与えられることであり、「権利は白人のみに与えられるべきだ」という白人至上主義と、「有色人種も白人と同じ人権を持つべきだ」という対立意見の中間地点が正しい結論ではありませんでした。

科学的事実のフェアな報道とは？

また、科学においてこれはさらに顕著です。例えば、地球上では「重力が存在する」と思う人と「重力が存在しない」と信じる人の議論において、お互いの歩みよりにより、重力は存在するという視点もあれば存在しないという視点もあるという中間地点が正しい結論なわけではなく、どんな意見があったとしても「重力が存在する」という事実は変わりません。

このように実は科学においては、両論併記の意味は非常に薄く、「正確な事実」と「誤った認識」とに白黒がはっきりするケースがむしろ多いのです。科学的事実は「議論」によって決まることではなく、エビデンスの「検証」が何よりも大切です。私は臨床研究が本業の一つなので、「質のいいデータ」を集める大変さには常に頭を抱えていますし、「意味あるデータの処理や解析」がいかに努力を要するか、そしてその検証の末の結論の重みもよく知っています。

しかし、日本の新型コロナワクチンのメディア報道においては、データの検証や解釈ができない多くの非専門家の意見が求められ、テレビ番組の中では科学的事実を伝える以上にスタジオ内の口論が重視され、そういったテレビに映る口論から受けた印象がなによりも一番視聴者に影響があるもののように窺《うかが》えました。

世界中で科学的検証を経た上で推奨されているワクチン接種の科学的エビデンスを伝える専門家が出れば、視聴者のコメントには必ず「ワクチン慎重派の意見も聞きたい」と書き込まれ、テレビなど主要メディアにおけるワクチン報道においても、「フェアな報道にするためにワクチンに反対する専門家のコメントも入れる」という選択が広く取られました。

新型コロナワクチンの臨床試験やアメリカ食品医薬品局（FDA）の承認、アメリカ疾病予防管理センター（CDC）の推奨に至るまでの科学的な検証過程は全て公開されていますが、その慎重な検討の蓄積は質量ともに私も感心する凄まじいものでした。幾重もの科学的審査と検証を経て推奨に至ったワクチンに「反対する派」が「慎重派」と呼ばれ、「ワクチン推奨派」と対等なグループとして意見が紹介されるのは、本当に「フェア」と言えるのでしょうか。

両方の意見を提示しなければという努力を日本メディアでは多く目にしましたが、この結果、科学的な検証を無視する人たちに不当な力を与えてしまったのではないかと思うのです。二つの極論の中間点が正しいわけではないにもかかわらず、こういった状況が日本という国単位で生まれてしまったのを見ると、Middle Ground Fallacy の論理のねじれによる心理操作の威力を感じました。

Appeal to Popularity/Bandwagon（多数決で正誤は決まらない）＋Hasty Generalization

（一つの例が全体を代表するわけではない）

一つのグループの中で多数決で多くの票を集めた方が正しいわけではありませんが、一見そのように見えてしまうこともあります。「ほら、こんなに多くの人がこう言ってるもん」と目の前の集団の多数票を集めた意見が正しいとする論理の歪《ゆが》みを、Appeal to Popularity（衆人に訴える論証）あるいはBandwagon（バンドワゴン効果）と言います。

ナチス・ドイツでユダヤ人虐殺政策を指揮したヒトラーですら国民の投票によって選ばれた政治家です。今では多数票を得たヒトラーの思想が正しかったと思う人はほとんどいないでしょう。SNSでは「いいね！」の数、あるいは反対意見のコメントの数で誰かの意見が評価されがちなところがありますが、SNS上の投票で意見の是非や情報の正誤が決まるわけではありません。多数決では正誤は決まらないのです。

また逆に多数ではなく、一つか二つの例を見て、それを敷衍《ふえん》して大きな結論に行きついてしまう論理の間違いを、Hasty Generalization（ヘイスティ・ジェネラライゼーション、早まった一般化）といいます。これは一つの例が全体を代表するわけではない、ということです。例えば医療行為において、ある治療法が一人の患者さんに効いたとしても、その1例をもって他の患者さんにも薦められるわけではなく、多くの被験者に対する臨床試験を経て、安全性が確かめられて初めて治療は承認されます。

しかし、ある治療法がある個人に効いたという情報を聞き、それをもって全員に薦めるべきだと飛躍して考えてしまう方も少なくありません。逆にある1例の治療失敗例を耳にして、治療自体をしない方がいいと感じてしまうことも、Hasty Generalization です。

女性が一人いれば全女性の意見が反映される？

例えば審議会や会議に、一人は女性を入れるよう目指すと公言する企業や行政機関がありますが、残念ながら一人女性が入ったところで、その人が全女性を代表して発言できるとは限りません。圧倒的多数の男性のなかでマイノリティの立場に置かれて発言しにくいこともあれば、会議以外の場で持たれる男性たちの意見交換の輪からは外れているために、会議で意見を通しにくいといった見えない構造が不利に作用することもあるでしょう。

また「女性がいると面倒」などと思われないように、流れに逆らう意見は本当に言うべき機会にしか言わないというモットーのもとで働く女性が、あるいは時に意に反する形で男性たちの意見に同意するといった状況さえ生まれます。

また、女性スタッフが議論に関わったから、ジェンダー的観点から問題がないはずだと言えるわけでもありません。女性の人数がいくら議論の場に多くとも、代表者側に占める女性の割合が圧倒的少数であれば、実は女性全体の意見は公正に反映されていないことが多いのです。そのような背景がありながら少数の女性の意見を全女性の意見だと解釈してしまうのはHasty Generalization の事例だと言えます。

炎上に便乗してしまわないための自尊心

紹介したのは氷山の一角ですが、ネットの議論ではこれらの論理の捻じ曲げ論法が非常に多く見られます。当事者同士だけでなく、議論の聴衆たちも間接的に加わり、そのなかで陣営が二手に分かれて二項対立が先鋭化するといった道筋をたどることも少なくありません。そうなると問題の本来の複雑さや、ときには主張自体も捨象され、当初の議論の出発点からは次第にずれて、互いの否定のみにフォーカスした集団攻撃合戦へエスカレートするという末路に陥りがちです。

誰かを攻撃しても自分の幸福度は上がらないのです。それどころか攻撃をしたことで怒りやもどかしさが増すことの方が多いかもしれません。そんなときはＳＮＳをそっと閉じてみることも大事ですが、エスカレートした状況に軽率に便乗しないように、そして攻撃の矢が飛んできても深い傷を負わないために、このような捻じ曲げ論法に関する知識を持って一個一個の議論を検討することも重要だと思います。

また、論理を捻じ曲げてでも「自分を正当化して、誰かを貶《おとし》めたい」という思いは、ときとして「相手を下げることによって自分を上げたい」という自信のなさの現れであることもあります。次の章で「相手を下げても、自分は上がらないよ」という私の息子の名言を紹介したいのですが、そうと分かっていながら、人間にはこのような考えが無意識に湧き上がることがあるもので、だからこそ、オンラインに限らず攻撃を生まない土壌を作るために、相手との比較ではなく、ありのままの自分自身をリスペクトする芯のある自尊心を育てることが必要だと感じます。

さらに、ネットコミュニケーションなどでは短い会話が瞬間的にヒートアップすることが多く、そこで何かしらの決着をつけようと延々と応酬が連鎖しがちですが、議論はそこで終わるものではありません。その場での意見への賛同の有無で何かが決まるわけではなく、また決して勝ち負けの問題でもありません。それに、Black Lives Matter のムーブメントが数年の時を経て大きなうねりとなったように、ときには世代を超えた長期のスパンで、多くの人が関わった議論が社会を少しずつ前進させることもあるのです。

変化が目に見えるようになるまでには「時間差」が必要なこともあります。現代社会においてはタイムリーな情報が行き交うテクノロジーが確立されています。「時間差」をなくそうとすべてを「同期」させるようにシステムが設計されているため、私たちの思考もその速度に引きずられがちですが、ときにはその「同期」をあえてずらしてみることも大切かもしれません。

今すぐに伝わらないことがあっても、もしかしたら心の中にまかれた種が時を経て芽を出し、変化を生む触媒になるかもしれない。一つ一つの議論や問いかけが未来へのインベストメント（投資）になっていると私は信じています。

どうしたら炎上に便乗してしまわない自尊心を育てられるのか、未来への投資の議論をするためにはどんなことを心掛けるべきなのか、私なりに考えたヒントを次の章で紹介させてください。

第2章　炎上への処方箋

感情的な反応と承認欲求との付き合い方

ネットコミュニケーションで見られる感情的でスピーディーな意見の応酬、またそこで露《あら》わになる個々人の承認欲求というものには、人間の進化の過程で「生存」のために我々の脳に備わった機能が影響していると前章で書きました。しかし、現代に生きる我々が普通に生活している限り、生存を脅《おびや》かすような重大な事態は太古の昔とは違って日常にありふれたものではなくなりました。

もちろん、ＳＮＳでの炎上のような、言葉のやりとりによる攻撃やダメージを過小評価するものではありませんが、生存に「好ましい」「好ましくない」という明確な「評価」ができない出来事が多くなった今日も、未だに昔の人類と同じように「評価」をしようと、私たちの感情は秒速で強い反応をして、それに対応する行動を促すような仕組みを機能させています。

さらに、社会的な動物である人間はかつて部族の中で承認されている方が生存に有利だったため、今もなお我々には人から「承認されたい」と思う脳機能が備わっているのです。明白な生存のリスクが減じた現代社会の中では、この脳機能の残存によってかえって私たちは感情に振り回されることになり、むしろ迷惑に感じることも多いかもしれません。でも、私たちが強い欲求や感情を感じている瞬間というのは、脳が「生存しよう」と懸命に努力しているときなのだと考えると、少し愛らしく感じられる気もします。

誰もが有する自然なメカニズムなので恥じるべきものではありませんが、「感情に任せた瞬時の反応」も「承認されるために起こす行動」も意識せずに野放しにしていると、人生への悪影響を及ぼすこともあります。では、こういった厄介な脳機能とうまく付き合うにはどうしたらいいか？　この章ではその答えを一緒に考えていきたいと思います。

立ち止まって考え直す力＝「再評価」

まず、私自身の研究テーマの一つである「再評価（Reappraisal）」という心理現象の脳機能を紹介させてください。

「再評価」とは、ネガティブな感情を感じたときに一旦《いったん》立ち止まり、その感情を客観的に再度「本当に今このようなネガティブな感情を感じる必要があるのか」と評価して、状況、または感情をポジティブな方向に持っていく心理的プロセスです。感情が「好ましくない状況である」と「評価」したときに、瞬時に行動に移す前に、一回立ち止まって再度「評価」し直すわけです。

私の研究で「再評価」の脳機能をどのように測ったかというと、まずはファンクショナルＭＲＩ（ｆＭＲＩ。ＭＲＩを使って脳活動を調べる装置）の機械の中に入ってもらった被験者の方に、最初はネガティブな感情を引き出す写真を見てもらいました。その後、その写真に関して、なるべくネガティブではなく、ポジティブに感じられるように色々考えを巡らせてみてくださいと課題を出しました。

例えば、2人の人が泣いている写真を見て、最初は悲しく不安を覚えていたとします。しかし、そこで「なるべく悲しい気持ちを軽減できるような考え方をしてみてもらえますか？」という声かけをすると、中には、「この二人は泣いているけれど、離れ離れになっていた後に再会して嬉しくて泣いているのかもしれない」「何か悪いことがあったようだけど、この人たちは無事だったから良かった」「この人たちは今は泣いているけど、それは今悲しいことがあったからであって、明日は悲しみから解放されてもっといい日になるかもしれない」などと、色々考えをめぐらすことによって、最初に感じていたネガティブな感情を軽減することができる人もいたのです。

　私たちの研究では、そのネガティブな感情からポジティブな感情に変わる様子を脳機能測定により定量化したのです。すると、次のような結果が出ました。

　脳の中で感情のコントロールに関わる領域がいくつかありますが、一番大きな役割を果たしているのが、「感情を生み出す」扁桃体という部位と、もう一つが前頭前野という「論理的に考えて感情の抑制や促進などのコントロールをする」部位です。

　私たちの研究では、感情をコントロールする前頭前野の活動が活発であればあるほど、「再評価」をしてネガティブな感情をポジティブな感情に変えることの成功率が高かったのです。また、前頭前野と扁桃体がいつも一緒に活動しているのではなくて、ある程度独立して機能している方が「再評価」の成功率が上がることも私たちの研究でわかりました。感情発生部位と感情を指揮する部位が常に連動しているのではなく、ある程度独立した柔軟な活動が必要というのは興味深い結果だと思いました。

「再評価」が苦手であると、何かネガティブな経験があった後に、その経験のなかにあるポジティブな部分に気付けなかったり、実は「そんなに怒らなくてもいいのに」という状況であってもカッとなってしまったり、また鬱々とした気分になった際になかなか気分転換ができないで悶々とするなど日常生活への影響があります。

しかし、こんな脳機能の傾向があるからといって、悲観する必要はありません。考え方の柔軟性を高める練習によって、「再評価」が少しずつ上手になることもあり、脳機能を測ってみると、実際に機能の変化が見られることもあるのです。

わざと水をこぼした息子と「感情」「考え」「行動」を「再評価」

私自身もまた、日々の生活の中で「再評価」を意識しています。それによっていつでも自分の感情をうまくコントロールできているかと言ったら、もちろんそんなことは全くありません。うまくできるときもあれば、そうでないときもあります。

しかし、何事も日々の練習が重要で、うまくできるかどうかよりも、自分の感情、考え、行動を意識的に振り返り、「再評価」できる部分があるかどうか、時々立ち止まって考えてみることが大事だと思っています。例えば私の場合は、子どもへの対応をどうしたらいいのだろうとその場その場で悩むことがよくあります。そんな場面で「再評価」をしてみた例を紹介させてください。

ものの受け取り方や考え方に働きかけてストレスや不安とうまく付き合えるようにする認知行動療法では、「感情」「考え」「行動」の三つを分けて「再評価」するのが一般的なので、私もこの三つの要素を意識しています。

我が家の長男が3歳だった頃のことです。長男が「ママに見せたい」と保育園で作った工作を片手に私の帰りを心待ちにしていたのですが、仕事から帰って急ぎでやらなければならないことがあった私は、その作品をすぐに見てあげることができませんでした。そのときに、息子は飲んでいた水をわざと絨毯《じゅうたん》にこぼしたのです。

気持ちの余裕がないときだったら水をこぼしたことを叱ってしまっていたでしょうし、同時に仕方ない状況であったとはいえ、すぐに息子の工作を鑑賞できなかった罪悪感で胸がいっぱいになっていたかもしれません。でもその時の私は心に余裕があったのか、水をこぼしたばかりの息子を抱っこして、「今何が起きたか一緒に『再評価』しよう」と違うアプローチをとることができました。

まず「感情」に関して、「せっかく作ったものをママが帰ってきてすぐに見られなかったときに、どんな気持ちになったの？」と聞くと、「悲しかったし、怒りたくなった」と長男は答えました。次に「考え」に関して、「どんなことを考えて悲しくなったの？」と聞くと、「僕がママにとって一番大切なものじゃないと思ったから」と答えました。そして「行動」に関して、「それでどうしたの？」と聞くと、「水をこぼした」と答えました。

そこで私は、「なるほど、気持ちはよくわかるな。その感情、考え、行動を一個一個考えて行こう」と一つ一つの答えを一緒に「再評価」することにしました。感情に関しては否定せずに、「ママがすぐに保育園で作ってきたものを見てあげられなくてごめんね。悲しくなっちゃうのは当然だよね」と。しかし、考えについてはもう一度よく考えようと促しました。

「でも、一番に対応しない＝大切じゃない、っていう考えは間違ってるよ。ママがすぐにあなたが作ったものを見られなかったのは、どうしても先にやらなきゃいけないことがあったからで、それが終わったら一番にあなたが作ったものを見たかったよ。あなたも弟もママにとっては一番大切なものだけど、でもいつでも一番に対応できるわけじゃないんだよ。一番に対応しても、二番目に対応しても、もっと後になっちゃうことがあっても、いつでもママにとって一番大切なものはあなたと弟なんだよ」と伝え、行動に関しても、「水をこぼしても、こぼさなくても、ママにとって、あなたは一番大事で、それは変わらないよ」と言いました。その後、こぼした水を一緒に拭きましたが、息子は少し満足した顔をしていた気がします。

　私自身も仕事に追われて急いでいること、疲れていることが多いので、ついつい子どもの望ましくない行動に対して叱ることで行動を変えさせようとしてしまうのですが、余裕があるときにはこんなことを意識することで子どもも親もよりハッピーなアウトカムを得られると実感しています。

　また、子ども側だけでなく、親側の意図や感情を「再評価」することも重要です。散らかっている部屋を「片付けなさい」と何度言っても子どもたちが遊び続けて片付けないときなど、ついつい「子どもが私が言ったことを聞かない＝子どもから私への敬意がない」などと考えて、イライラしてしまい、「親に従わせねば」と力関係の衝突を起こしてしまうこともあります。そんなときは、一旦「そうだ、『再評価』だ」と立ち止まると、自分自身の考えの間違いに気付くことができます。

　子どもたちが私の話を聞かないのは、単に楽しく遊んでいて、遊び続けたいからであり、別に私への敬意がある／ないという話ではないと気付くだけで、私自身の感情も和《やわ》らぎます。

私への敬意を示させることが目的でなくなることで、力関係の衝突をしても仕方がないと気づいて行動も変わります。私の目的は、子どもたちに「部屋を片付けさせること」であって、「言うことを聞かせること」ではないので、部屋を片付けさせるゴールに向かって効果的な方法を選ぼうと、自分のプランを改められるのです。

例えば、「はい、片付け競争！　こっち半分ママが片付け、そっち半分は子どもチームが片付け。どっちが速いか競争です！　よういどん！」と突如片付けゲームを開始した途端、子どもが片付け始めることもありました。

議論はネット上で終わらない〜未来へのインベストメント

炎上の中でも「再評価」の効果はあります。例えば、私はTwitterなどでフェミニズムや人権に関して発信することが多いのですが、発信に対してネット上で攻撃を受けることも少なくなく、攻撃を向けてくる人のコメント一つひとつに反論をしたいという思いが生じることもあります。しかし、そんなときにはいったん立ち止まり、発信の目的を「再評価」することにしています。

例えば、攻撃を向けてくるある特定の人の発言が頭を占めたとしても、私にとっては

「この個人をいま論破すること」が目的なのではなく、「女性の自己決定権が得られるように、多くの人に新しい視点を伝えたい」といった思いで発信したのだと考え直せると、特定の人からの的外れな攻撃は相対的に小さなことだと思えるものです。

　発信する人と受けとる人の関係が一対多というＳＮＳの特徴もありますが、「再評価」を挟むと、「何もいま、この個人に私の考えが理解されなくてもいい」と一呼吸置いて考えられるようになります。もちろん、その場での反論に効果があると感じる際は行動に出ることがあっても、ほとんどの場合、ネット上の一つの会話においてその場で何か大きな方針などが決まるわけではないのです。

　議論はネット上で終わるわけではありません。社会を動かすような大切なコンセプトをめぐる議論は、何世代にもわたって続き、時代と共に徐々に社会の認識が変わっていくものなのです。もちろん人権や誰かの苦難が関わる問題は一刻も早い変化を望むものではありますが、今すぐに話す相手全員に主張が伝わらなくても仕方がなく、長い目で見ての議論が必要になることもあるのです。私自身、高校時代の同級生との久しぶりの再会の中で、そう強く感じる出来事がありました。

　私は自分が通っていた高校が大好きでした。色んな方向にベクトルが向いた才能とエネルギーの持ち主が集まった学校で、「飛んでる」と形容したい同級生が数多くいました。

数年前、同窓会があった際、同級生の男性が駆け寄ってきて、私に質問をしました。「ねぇ、内田さん、ずっと聞きたいと思ってたんだけど、内田さん夫婦は別姓？」。突然の質問にびっくりしましたが、「うん、別姓だよ」と答えると（日本でも国際結婚の場合は別姓が認められます）、その男性は「すごい、感動した！」と笑顔を向けて、私になぜその質問をしたかを説明してくれたのです。

1998年、私たちが高校1年生のとき、ホームルームで様々な社会の問題に関してディベートをしており、そのテーマの一つが夫婦別姓でした。ディベートの後、クラス全体でディスカッションする際に、将来結婚した場合、自分は別姓にするか同姓にするかという質問に対して、クラスの中で私一人だけが「別姓」と答えたそうでした。彼に言われるまでは忘れていましたが、言われてみるとそのホームルームのことが鮮やかに蘇りました。

クラス内の議論の中で「別姓だと子どもがかわいそう」「別姓だといじめられそう」という不安が多く意見としてあがった一方で、私がアメリカで過ごした幼少期の友達の多くが別姓家庭であったこと、友人の親が別姓だったのを気にしたことがなかったこと、また、自分の姓に宿るアイデンティティを結婚を機に捨てなければならない理由はない、キャリア形成においては改姓しない選択肢があることがいかにありがたいかなど、長々とスピーチをしたのを思い出しました。

その同級生は、今でこそ夫婦別姓に関する議論を日常的にも耳にする機会が増えたものの、肯定的な意見がほとんどなかった当時の日本で、クラスで一人だけ別姓を支持した私が、本当に20年後に別姓で結婚をしていたことに感動したと笑顔で話してくれました。

この同級生との会話を機に、今すぐに賛同を得られないことであっても、あるいは今は発言することで強い風当たりを感じることがあっても、時代と共に人々の認識も変わり、長い時間を経て新しいコンセプトが理解されることもあると実感しました。そして、未来へのインベストメントのためにさまざまな議論をすることに意義があると考えることができ、この同級生との20年を隔《へだ》てた会話にとても感謝しています。

第4章で、プロローグでも触れた、日常の中に潜む小さな攻撃を意味する「マイクロアグレッション」という概念について紹介しますが、この言葉を提唱したチェスター・ピアス医師は私が勤めるマサチューセッツ総合病院の精神科医で、病院史上初の黒人のハーバード大学医学部教授でした。

加害者側には相手を傷つける意図がなくても、日常のなかに潜む人種差別がいかに黒人の精神状態に悪影響を与えるかを述べたピアス医師の提言が発表されたのは１９７０年代のことでしたが、当時はコンセプトの理解に苦しむ声も多かったそうです。

その後50年間の議論を経て、今ではハーバード大学医学部の教職員セミナーに「医学生を指導する上で意識しなければならないマイクロアグレッション」という講義が開設され、「マイクロアグレッション」という言葉が主要メディアや日常会話の中で頻繁に登場するようになりました。ここまでの進歩には長い時間がかかりましたが、それに関わる一つ一つの議論が変化に貢献したのです。

その場で叩かれることがあっても、その場で伝わらなくても焦らなくていい。意見を表明した一つ一つの会話が変化をもたらすための未来への投資なのだと思います。

行き過ぎたキャンセルカルチャー

近年、今現在の感覚に照らして昔の言動が差別的であるとみなされた場合などに、ＳＮＳ上で責め立てられたあげく、その言動をした者が作品発表の機会を失う、役職を辞退させられるといった「キャンセルカルチャー」も多く見られるようになりました。

「キャンセルされる」ことに関しては、差別的な行動がどれだけ個人あるいは社会に悪影響を及ぼしたかなどを考慮に入れた細やかな対応が必要かと思いますが、もし全ての過去の失言や行動がキャンセルに繋がってしまうのであれば、それはとても残念なことだと思います。

「キャンセルカルチャー」は実際に、炎上のパターンとして頻繁に目にします。ある人の発言や行動がメディア上で否定的に言及されると、多くの人がその人に対して怒りを表明し、業界から追放しようとするかのような波が生まれることも度々です。でも、こんなふうに自分から遠く離れた知らない誰かに対して怒りが湧き上がったときも、いったん立ち止まり、「再評価」をすることを勧めたいのです。

強い感情が生まれるのには理由があります。例えば怒りを感じるのはあなた自身のどのような経験が影響しているのか？　それは本当に相手の意見を理解しての怒りなのか？　本質とは関係ない相手への嫉妬などが怒りの根源になっていないか？　その人を攻撃して、自分や自分の大切な人の幸福度が高まるだろうか？　と一呼吸おいてみた上で、発信に意味があると考えるのならば、思いのままに発言すべきだと思います。

しかし、「再評価」の過程を踏まずに、感情に任せた攻撃によってたとえ相手を業界追放のような局面に追い込んでも、ほとんどの場合、それによって自身の幸せが得られるわけではないのです。

オバマ元大統領もキャンセルカルチャーに関して警鐘を鳴らしています。「世の中を良くするためには誰かの非を指摘し、攻撃するしかないと考える若者も多く、ＳＮＳによってこのようなキャンセルカルチャーが加速しているが、それは変化をもたらすアクティビズムではない」と。「罪とは無縁で過去に間違いのない人などいない。世の中は純粋ではなく、もっと複雑なものだ。とてもいいことをしている人にも欠点はある」。

だから「相手に敬意を払って気遣うことが大事。判断を急いではいけないし、すべてを白黒はっきりさせなければいけないわけでもない」と、性急な判断の前に立ち止まって考えることの大切さを若者に対して政治イベントで語っていました。

行き過ぎたキャンセルカルチャーによって、必要な議論から焦点がずれてしまうこともあります。例えば、差別的な発言をした人を罰することを「正義」と感じた集団のエネルギーが攻撃的になり、相手に謝罪や発言の取り消しを求めることがいつしか目的化してしまう。その中で差別的な発言の何が問題だったのか、差別のベースとなる無意識の偏見に気付くためにはどのような努力が必要なのか、同じような差別が起こらないように社会として何を進めるべきなのかといった本来必要な議論が置いてきぼりになることもあります。

あるいは、些細《ささい》な発言の言葉尻を捉えられて攻撃され、本来世の中のためにと努力を尽くしている人の成果が全否定される様子を目にした人たちが、「問題発言を指摘する」こと全般に嫌気がさし、「もう疲れた」と議論自体がされなくなってしまうこともあります。

行き過ぎたキャンセルカルチャーには問題を感じますが、その逆の例として、「これくらい、昔は許された発言だった」と失言の問題点を認識も反省もせずに受け流すというパターンにも賛成できません。また、ネット上で批判をしてはいけないという考えにも反対です。自分の大切にしている考えを揶揄されたときには、相手の発言の問題点を指摘することは重要で、そのようなコメントも「キャンセル」とまとめて扱われてはならないと思います。

許容するのでなく、罰するのでもなく、昔の作品や発言の差別的表現を過ちとして認識し、それを議論のきっかけにした上で、さらに表象を多元的に変化させていくという未来へ繋がる道が広く開かれる方法の一例が、ディズニーのステートメントにありました。

第5章で更に詳しく紹介しますが、20世紀半ばに作られたディズニー映画の『わんわん物語』にはアジア人を見下す表象があります。

長年にわたるこういった差別的表象に関する批判を受けて、ディズニーは映画の冒頭に

「この作品には、人々や文化に対する、否定的な表現や横暴な振る舞いを描写したシーンが含まれています。このような固定観念は作品制作当時でも誤りであり、現代においても誤っています。ディズニーでは、当該箇所を削除するのではなく、こういった偏見が社会へ与える悪影響を認識し、そこから学び、議論を促すことで、多様性あふれる社会の実現につなげていきたいと考えています」というメッセージを表示するようになりました。

　映画を鑑賞する機会をなくすのではなく、むしろ考えることを促す。この作品を見る家族が映画内の差別的表象をきっかけにアジア人とアメリカ社会との関係性を議論することを促すのは、いい取り組みなのではないかと感じます。

　アジア人差別の表象に関する批判は『わんわん物語』という作品の価値を否定しているわけではないのです。動物のアニメーションやストーリーのテンポ、音楽の使い方など、多くの革新的な要素が詰まった『わんわん物語』は、これからもアニメーション映画界ではリスペクトされる作品であり続けるでしょう。批判への対応は、キャンセルか許容かの二択ではないのです。

他愛のすすめ

新型コロナワクチン啓発活動の中で、初期は特に妊娠中のワクチン接種に関して懐疑的なコメントや母親としての私を誹謗中傷するメッセージが多く届きました。特にプロローグにも書いた「死産報告書」やお腹の中の子どもが死ぬと宣告するようなコメントなど、誤情報だらけの書き込みがされたコメント欄を読むと、怒りと悲しみを感じずにはいられませんでした。さらに個々のコメントを見ると「啓発の意味がない」と後ろ向きに考えてしまいがちでしたが、そんなときに意識していたのは、私の発信の「対象」を「再評価」することでした。

私の発信は非科学的な誤情報を拡散してワクチン接種反対運動をしている人たちではなく、ワクチンに対して「なんとなく」不安を感じていた多くの人たちを対象としていました。その対象が明瞭になると、誹謗中傷や誤情報に対しての対応も変わります。

誤情報を訂正することで、誤情報を発信する人の意見が変わることはなかなかないかもしれませんが、誤情報を見て「やはり接種はやめよう」と不安になってしまうワクチン忌避層の人には、科学的なエビデンスを列記して、誤情報を訂正することで安心感を持ってもらうことができる。誤情報や揶揄の含まれた質問などに私が答えた際、その答えの送り先はコメント主ではなく、やり取りを見ていた多くの「目に見えない人」だったのです。

目に見える反応だけに影響されている自分の心に気付いたら、立ち止まって「再評価」する。そうすることで「目に見えない人」の役に立っているはずだと思いなおすことができ、またその可能性に小さな幸せを感じることができました。

「分断を超える」ことは皆が同じ色になるわけではなく、反対側にいるように見える人と経験を共有しながら、少しずつ濃淡の度合いが変わって色が交わっていくこと。そんな変化に寄与し、多くの人の生活や健康に貢献できたことが光栄でした。

心理学用語に他愛（Altruism）という言葉があります。

これは、抑うつやストレスを感じているときに自分が誰かの役に立っていると思えると抑うつが和らぐという考え方です。小さなことでも充分です。道端に落ちていたゴミを拾ってゴミ箱にいれた、道に迷っている方に道を教えてあげたといった小さな「人助け」が自分の心を豊かにしてくれます。逆に誰かに親切にしてもらったときには感謝の言葉をかけることで、お互いの幸せへの貢献になると思います。

勘を育てるのは広く深い経験

ネットコミュニケーションでは、他者の問題提起の内容や背景を理解する努力をする前に、目に入った短い文面から連想される考えや感情に支配されて、発言者、あるいは批判者を熱く支持してしまう現象が頻繁に起こります。

ヒートアップした批判や賛同の中ではねじれた論理が生まれ、次々と支持者が増えていくといった現象が起きがちです。この波に巻き込まれないためには、立ち止まって「再評価」するきっかけが必要です。そして立ち止まるためには、「何かが違う」とパッと感じとる「勘」が何よりの防御になると思うのです。「勘」について今でも心に残っているエピソードがあります。

私の高校の卒業式では、数学者の藤原正彦さんが卒業生保護者代表のスピーチをして下さり、その内容がとても印象的でした。

数学ではAならばB、BならばCと論理をつなげていきますが、論証の出発点であるAに向かう矢印はありません。つまり論理の発端は常に仮定なのです。その仮定、証明の出発点が間違っていると、どんなにその後の論理が正しくても、たどり着く終着点は間違ったものになります。出発点である仮定を選ぶのは「勘」であり、その勘を磨くために必要なのは「経験」である、というお話をいまも覚えています。高校の卒業から20年以上たったいま、勘を磨くためには多様な広く深い経験が必要だということを私自身も強く感じています。

さらに、そのスピーチのなかでもう一つ心に残っているのが、「これから挫折を味わう人もいます。しかし、今回挫折を経験しなかった人も、必ず挫折を経験します」という言葉でした。翌週に迫る大学入試の合格発表を見据えたコメントでしたが、それから数日後、私は無事に北海道大学医学部の現役合格を手にし、後に日本人として史上最年少の米国臨床医になりました。

しかし、藤原正彦さんの予言通り、挫折を経験する機会は訪れました。若くして単身で海外の現場に飛び込むのは全く簡単なことではありませんでした。イェール大学での研修時代、他の研修医と比べて年が若く、アジア人の女性で、医学教育をアメリカの大学で受けていなかった私は、その属性ゆえに差別の対象になることもあり、またアメリカ文化の中で重視される自分の意見を述べなければならないような場面ではうまく表現できないことも度々で、屈辱続きだったのです。

異なる文化の中での異なる壁に直面する中で、卒業式での「誰でも必ず挫折を経験します」「必要なのは経験」という言葉が思い出され、その壁を乗り越えるための糧《かて》になりました。人生の中で経験する成功だけでなく、時に屈辱的な挫折の経験も、これまでの自分にはなかった多面性を与えてくれるだろう、相手の立場に立って物事を判断する軸をも形成してくれるはずだ、だから挫折にも真摯に向き合おうと思えたのでした。

その状況を変えられるのは自分しかいないという孤独感のなかで、私が心から持っていてよかったと感じたのが、日本文化で得た「コツコツと努力する」という特性でした。知識を身につけるために勉強すること。患者さんや病棟スタッフと誠意を持って関わること。突然意見を求められても発言できるように情報を整理して準備すること。派手なアピールではなく、地に足をつけた地道な努力が、時が経つにつれ芽を出し、周りの医師たちの目にも留まるようになりました。

実際、この時期「自分の努力だけではどうにもならない逆境もある。しかしその中でも努力することには意味がある」と考え、その末に乗り越えられたこと、またその結果以上に「乗り越えるだけの努力ができたこと」は私に揺るぎない自信の芯を作ってくれただけでなく、逆境に置かれた人にエンパシーを持つための実体験になっていると感じます。

友人のカミングアウトで学んだ「他者の靴を履く」

誰かを熱く支持・批判する過程で、他人のイシューを、自分が発信したい内容に無意識にすり替えてしまっているかもしれない可能性を意識してみることも大切だと感じます。本当の意味で誰かの発言をサポートするには、その人がどんな経験を持ち、どんな思いでその言葉を発しているのかを想像する努力、つまり「他者の靴を履く（To put yourself into someone's shoes）」と比喩される「エンパシー」が必要です。

論理のねじれに引き込まれないためには、「勘」だけでなく、「エンパシー」も重要な役目を果たすのではないでしょうか。「勘」と共に「エンパシー」を育てるためにも、多様な人との関わり、多様な経験が大切なのだと思います。

「エンパシー」についても忘れられない体験があります。私は高校2年生の夏休みに、アメリカ・マサチューセッツ州西部に位置するスミスカレッジという大学で、女子高校生対象の2週間泊りがけの科学プログラムに参加しました。様々な刺激を受けたこの夏、私にとって最もインパクトがあったのは、友人のカミングアウトでした。

私と一緒にロボット工学コースに在籍し、いつも明るい雰囲気で外国から来た私がうまく溶け込めているか気にかけてくれていた同学年の女の子が、みんなの前で詩を読む機会がありました。その詩のタイトルは“I know who I am”（私は私が何者かを知っている）で、彼女は詩を読みながら自分がレズビアンであること、レズビアンの情報サイトを見ているときにお母さんに見つかりお母さんに打ち明けたこと、その際最初はお母さんの理解が得られなかったこと、そして誰かが理解してくれてもくれなくても、自分自身は自分が何者かを知っていて、自分がこんな人間であることに誇りを持っていることを語りました。

今ではＬＧＢＴＱ＋の友人がたくさんいますが、90年代後半に思春期を日本で送っていた私にとって、友人がカミングアウトする姿を見たのは初めてで、彼女の苦しみと誇りに感動し、彼女を抱きしめたくなりました。私だけでなくその場にいた多くの仲間たちが同じ思いで、詩の朗読を終えた彼女をハグしに行きました。その後、私はＬＧＢＴＱ＋のally（アライ、本当の意味でのサポーター）になれるように努力しています。

言葉を通しての理解よりも、実体験での人との交流が私の視野を広げてくれ、今まで自分自身が抱えているとも気付かなかったような固定観念や偏見を壊してくれました。「勘」と「エンパシー」を育てるために必要なのは広く深い経験であり、どんなに人生の段階が進んでも、多様な人に会い、多様な経験を求めることをやめてはならないと感じます。

アスリートに学ぶ「外的評価」と「内的評価」

ところで、無意識のとっさの防御反応であることも多いとはいえ、論理を捻じ曲げてしまう行為の根底には何があるのでしょうか?

それは、「自分を正当化したい」という思いとも無縁でないと感じます。自信のなさの表れであることもありますが、もしかしたら、時に「誰かを貶めたい」という気持ちと裏腹かもしれません。第1章の冒頭に書いたように、他人に尊敬されたいと思う承認欲求は人間としての自然な感情です。しかし、承認欲求が健康的な形で満たされるためには、相手との比較による評価に左右されず、自分自身をリスペクトする「自尊心」を育てることが必要だと感じます。

無抵抗の黒人男性ジョージ・フロイドが白人警官に殺されるという、パンデミック初期に起きたジョージ・フロイド殺害事件の後、無力感と悲しさで鬱々としながら事件について、そして人種差別について家族で話をしていたときに、息子が「どうして差別やいじめというものがあるの?」と聞きました。「人間には自分は強いとか偉いと思いたくなる時があって、他の人が弱いとか悪いと思うことで自分は強いと錯覚してしまうことがある」と答えると、当時5歳だった息子が「相手を下げてみたところで自分は上がらないよ?」

と核心を突く名言を口にしたことがありました。

この息子の言葉に母親の私は大変感銘を受けたのですが、これが事実であるはずなのにもかかわらず、人間は時として「相手を下げることにより自分を上げたい」と考えてしまうものです。この考え方は、差別に留まるものではなく、ネット上の誹謗中傷を含むいじめ行為全般に言えることでしょう。家庭内の小さな喧嘩だって、言ってみればそんな不公平感の表れかもしれません。

この「相手を下げる」「自分を上げる」をもう少し解像度を上げて、「内的評価」と「外的評価」という言葉で考えてみましょう。

私は仕事上、若いアスリートのメンタルヘルスに関わることが多く、アスリートたちとの会話から「外的評価」と「内的評価」のバランスについて学ばされる機会が多くあります。アスリートは、メダルや順位などの「結果」、そしてメディアの賞賛、またSNSのフォロワー数などの「外的評価」を常に求められる立場にあります。

もちろん「外的評価」を求めることは自然ですし、選手の活力にもなります。しかし、「外的評価」が上がることが自分自身が自分をどのように評価するかの「内的評価」の上昇に直接繋がるかと言ったら、そうではないことの方が多いでしょう。

「内的評価」とは達成感や生き甲斐、競技に関わる喜び、成長しているという感覚、「自分はこういう人なんだ」と自信をもって言える自尊心のことです。華やかな瞬間が注目されがちなアスリートの毎日は実は地味な努力の積み重ねです。そんな一つ一つの地味な努力に価値を見出すこと、それも「内的評価」の大切な要素です。

たとえば「内的評価」が十分に育たない中で突然注目を浴びたり賞賛される立場になった場合、「外的評価」と「内的評価」の乖離《かいり》に虚《むな》しさを感じるアスリートもいます。「外的評価」は「内的評価」よりもずっと移ろいやすいものです。メディアでの報じられ方や、影響力のある人の評価の変化などに影響を受け、今までの賞賛が突然ネガティブなバッシングに転じることだって珍しくありません。

こうした世間的な評価の変化もあれば、選手自身が怪我や故障で結果が出せなくなることもあります。そしてスランプの時期ほど自分の内面に向き合わなければならない時間も長くなるわけで、「内的評価」がよりいっそう大事になる、あるいは「内的評価」を育てる時間になるかもしれません。

ロシアのドーピングスキャンダルのように短期的な「結果」を求めてルールを破ったり、嘘をついたり、身体や精神を酷使してみても、長期的な幸せには繋がらないことがほとんどですが、逆に「内的評価」を大切にした真摯な努力と自分を偽らない誠意があれば、どんな結果に遭遇しても、自尊心と幸せは揺らぐことなく、さらに結果が良いものであれば、大きな自信につながるのではないでしょうか。

　私が大好きなアメリカのコメディドラマに、米国人のアメフトコーチが英国プレミアリーグのサッカーチームの監督になるという『テッド・ラッソ：破天荒コーチがゆく（Ted Lasso）』があります。このストーリーの中に、賞賛と敬意を求める欲望にかられてダークサイドに行ってしまうアシスタントコーチのネイトという登場人物がいるのですが、彼の変貌を見る中で、「外的評価」と「内的評価」の乖離について考えさせられました。

　ネイトは自分のアイディアでチームを勝利に導いた際に、メディアやＳＮＳを通して多くの賞賛を受け、その後携帯電話で自分に関するニュースやコメントを探してはいちいち気にし始めます。暇さえあれば Twitter をスクロールし、段々と攻撃性が増していくネイトを見て、ネット上の評価の中毒性の怖さを感じました。

　どんなにメディアやＳＮＳ上で賞賛を受けても、実世界に通じる深い満足感、達成感、自己肯定感をもてずに、結局自分を信じてあげることができないネイトを見ていると、やはり「外的評価」と「内的評価」は別物であり、「外的評価」の変動があったときこそ育てなければならないのが「内的評価」だと考えさせられました。「外的評価」に頼らずに自分自身への信頼と誇りを保つためには、自分の思いに正直になり、自分のいいところを認め、良くないところを良い方向に成長させるように努力をすること。このように自尊心を育てることはアスリートに限らず、誰にとっても重要だと感じます。

高校2年生のときに出会った、カミングアウトした友人の詩のタイトルのように“I know who I am.”（私は私が何者かを知っている）と、人からどんなことを言われても自分らしく生きたいと思う揺るぎない芯が育ってくれたら、それさえあれば人生はどうにでもなると私は信じています。また、その芯を育てる努力は何歳になってからでも遅くなく、そして人生を通して続ける意義があると思うのです。

「内的評価」を育てる多様な軸

「内的評価」を育てるために必要なのは、勘やエンパシーを育てるのと同じように、人生の中で経験する様々な成功や挫折に真摯に向き合い、多様な軸と世界を持って多様な人と対話することです。しかし、「多様な軸を持つ」というのは実はなかなか難しいことも事実です。

例えば、アスリートの例をここでも使うならば、多くのアスリートは幼い頃より練習や遠征などの自分のトレーニング環境に長時間身を置き、それ以外の世界や価値観に触れる機会を持ちにくいという難しさがあります。共に競い合う仲間と「五輪出場」「優勝」などの目標を掲げて切磋琢磨するのは素晴らしいことで、その過程で他では築けないような友情や深い人生観が育《はぐく》まれることもあります。

しかし、絶対的な一つの目標が掲げられる価値観「だけ」に染まってしまうと、目標を達成できなかったことが世界の終わりのように感じられたり、「成功」した際には思い上がってしまうこともあれば、他の世界では許されないような虐待やいじめなどが「目標達成のために」と見過ごされてしまう危険もあります。

アスリートに限らず、人を評価する上で一つの軸しか与えられない文化が「多様な軸を持つ」ことを阻むように思います。例えば、「受験」。中学、高校、大学合格はあくまでもゴールではなく通過点ですが、受験文化の中で「絶対的な一つの目標」として掲げられてしまう危険は、アスリートの世界と同じものがあります。

皆が与えられた問題を同じように解くことで競い、同じような学校を目指し、更に学校を卒業した何十年後までも、「○○大学の首席」などという肩書が、その人が何を成し遂げたかやどのように社会に貢献をしたかということ以上に意味を持つカルチャーには賛成できません。本来人間の持つ長所と情熱は多様で、人生の中で能力を発揮するタイミングも様々であるはずなのに、思春期の時点で一つの軸だけで優劣が測られるのはとても勿体《もったい》ないと感じます。

　大人になっても中学受験で不合格だった経験から劣等感を引きずる人もいること、あるいはたまたま受験が得意だった人でも、他人が用意した筆記テストの点数という軸以外に目標が見つからず、「自分は人生で何をしたいのだろう」と空虚感を語る人も多いことを考えると、このような一つの軸だけを掲げる社会は変化しなければならないと思わされます。

　今までとは異なる常識や価値観に触れることで「自分にはこんな良さがあったのか」と気付くこともあり、逆に自分の足りない部分が見えることもあれば、国、職場、学校、チームなどの自分の環境の長所や問題に気付くこともあるでしょう。広い視野のなかで自分が誰であるか、どんな人になりたいかのビジョンが明瞭になっていくこと、それも「内的評価」の育つ過程なのです。

　ＳＮＳのように過熱した不特定多数の声が、誰かの声を承認、あるいは否定する空間にいるときには、「自分が何者か。どんな人になりたいか」というビジョンがなおさら大切になります。

承認欲求や湧き上がる感情を無理に押し込めるのではなく、そういった思いを正直に受け止め、活力にしながらも、隠れた内なる声とは何かを見つめて、自分の感情、考え、行動について落ち着いて分析してみること。誰かの声に自分の声を重ねるのではなく、自分の心の声に耳を傾けてみること。その中で、自分の感覚に自信が持てるようになることもあるでしょうし、引きずられがちだった自分の論理のねじれや、あるいは自分自身にかけていた要らぬプレッシャーに気付くこともあるかもしれません。

そうした気づきが個人のメンタルヘルスのためにも、社会のためにもいい影響を与えると思うのです。

第Ⅱ部　差別と分断を乗り越えるために

第3章　子どもに学ぶ同意とアドボカシー

いま注目を集める「同意」とは？

ネット空間での「炎上」はもはや日常茶飯事で、そこでは確かな応答を一つひとつ積み上げて有意義な議論を組み立てることは難しいかもしれません。もちろんエンパシーを心がけたり、大きな波に巻き込まれないような勘を育てることが「炎上」に対する距離の取り方を教えてくれるところがあるとはいえ、私たちは実際に対面して話していたらとらないコミュニケーションを、顔の見えない相手にはとってしまいがちです。あるいは時には、ネット上のコミュニケーションがあふれ出て、現実の対人関係に影響を及ぼしてしまうようなこともあるでしょう。

でもその一方で、近年のTwitter上での#MeToo運動とその広がりを振り返るとわかるように、一人の力では立ち向かうことのできない権力に対して、声が連なってうねりとなり、それ以前は動かせなかった大きな山を動かす力を持つという前向きな性格を持つものでもあると思います。

もちろん、事後的な検証や、ネット上の告発だけで終わらせずに丁寧なコミュニケーションをとることがその後も必要なことは言うまでもありません。アメリカでは実際に、このネット発の＃MeToo運動が現実に根を下ろし、他者とのコミュニケーションのあり方を考え直す「同意教育」の端緒となりました。これまでの沈黙を破って変化を起こし、コミュニケーションのあり方を見つめ直す。まさにネット上では終わらない議論を提起したのです。

この章では、そんな現在進行形のアメリカの変化を紹介しながら、差別と分断を乗り越えるためのヒントを考えてみたいと思います。

さて、日本では耳なじみのない言葉かもしれませんが、「同意」と聞いて皆さんはどのようなものを思い浮かべるでしょうか？

医師である私はまず医療行為のインフォームドコンセントを思い浮かべます。患者さんにとって必要な医療行為に関してリスクとベネフィット、医師としてどんな治療や投薬を薦めるかといった今後の方針を説明し、患者さんの希望を聞きながら一緒に次のステップを決定していきます。その際、患者さんが説明を受けた上で、「この医療行為をすることに同意します」とサインするのがインフォームドコンセントです。

近年では、「同意」と聞くと、「性的同意」を思い浮かべる方も多いでしょう。ヨーロッパでは性教育が義務化されていて、フランスでは6歳から、フィンランドでは7歳から、ドイツでは9歳から、公立学校での性教育が始まり、人間関係の中での「同意」というコンセプトに関しても低年齢から学習します。性教育に関しては、日本では各学校の自由裁量に任されているようですが、アメリカでは30の州で義務化されている一方、学校ごとの任意とする州もあります。「分断」の国なので、たとえ同じ州の中にあっても、教育内容も価値観も地域や学校区ごとに全く違うこともあります。

ただ、医療行為におけるインフォームドコンセントや性的同意だけでなく、もっと幅の広いコミュニケーションのあり方として、日常生活における「同意」が再発見され、広く注目されていると感じています。友達や恋人関係、あるいは親と子ども、医師と患者といったさまざまな関係において、安心と信頼をベースに自分の意思を伝え、互いの意思を尊重すること。そんな「同意」の広がりをまずは身近なところからご紹介させてください。

息子の保育園での同意教育

私の息子たちが通うアメリカ・ボストンのプレスクールでは、2歳児のクラスから「同意」について教えられていました。もちろんこの年齢で学ぶ「同意」とは、性的な同意でも医療的な同意でもありません。人間関係の中で、自分の意思を表明すること、そして相手の意思を尊重することの重要性を学ぶための教えでした。

例えば、2歳児の教室ではお茶を入れるアクティビティ（学習活動）がありました。ポットを使って紅茶を入れ、「一緒にお茶を飲まない？」と友達を誘ってみるアクティビティでしたが、そこで友達が、YESと言ってもNOと言っても、どちらの答えもリスペクトすることと教えられていました。友達と経験を共有することだけでなく、NOと言われた場合は「仕方ない」と受け入れて先に進むことが日常の園生活の中で教えられていることに、親の私は驚きました。

また、悲しそうな友人を見て、ハグしてあげたい、と思ったときに、“Can I give you a hug?”（ハグしてもいい？）と友人の気持ちを聞くことの大切さを先生が説明していました。「一緒に遊ぼう」と声をかけられて嬉しいときもあるし、遊びたくないときもあるので、声をかけられた子に「一緒に遊びなさい」と言うこともありませんでした。

「おもちゃを貸して」と言われたら、「これ貸してもいい」と思うときもあれば、「まだ使っているから嫌」というときもあり、どちらの答えでもいいと教えられていました。その教えに込められた意味を先生に尋ねると、友達とおもちゃなどをシェアするためには、「自分が今使っているものを気が済むまで使っていい」「誰かに貸しても自分が必要なときには返してもらえる」と思える安心感が何よりも必要で、逆にもし「自分が使っているものが誰かに取られてしまうかもしれない」という不安が先行してしまうと、友達とのシェアが難しくなると説明され、安心感、信頼感をベースに考える視点になるほど、と思わされました。

　私の子どもとその友達たちの交流を見ていると、「同意」とは、後から問題にならないようにＹＥＳと言ったことの記録を残しておく契約のようなものではなく、同意がなければ何かが禁止されるというルールでもなく、気が変わったら答えを変えていいものであり、単純に「自分の身体や意思は自分のもの」という、自分を尊重する力を与えてくれるものだと感じます。子どもたちに、自分を尊重する発言をしてもいいと学んでほしい。また、他者が自身を尊重する判断をした場合には、それが自分の希望と違っても、仕方がないと自分の希望を手放せる考え方を身に付けてほしいと思っています。

NOと言ってもいい、またNOと言われてもいい、という双方の立場からの「同意」の受け入れの練習をさせてもらっている子どもたちがうらやましく思えます。

コロナワクチン治験に参加した6歳児の同意

「同意」の教育の重要性を感じた場面がコロナ禍で身近なところにありました。

息子たちの友人に、新型コロナワクチンの子どもの治験に参加した子が数人いるのですが、この治験においては、一つひとつの手技に関して、親と子ども双方への説明と双方からの同意が必要で、まさに子ども自身の同意が求められたのです。

息子の友人の一人に、親は治験に同意したものの、“This is my body and I don’t give permission.”（私の身体は私のもので、治験には同意しない）と治験の中での注射を拒否した6歳の女の子のケースもありました。その際、治験スタッフも「わかりました。では、また考えが変わったらいらしてください」と6歳の子どもの同意を得られなかったことに対しても決断を尊重した対応をし、その後親子で話し合った結果、翌週には治験に参加し、ワクチン（かプラセボ＝偽薬）を接種したそうです。

親の同意だけでなく、子どもの同意が医療行為においても尊重されていることについては、少し文化的な背景の説明が必要かもしれません。アメリカで医師が子どもの患者さんに同意を得る際、もちろん法的には親からの同意が必要ですが、診療や治療方針について子どもに直接説明することが通常です。そして子どもから同意がすぐに得られない場合は、家族での話し合いを経て納得できる決断をしてもらうことを、子どもの患者さんに接する私自身も診療で心がけています（医学的に緊急性のある場合はこの限りではありません）。

親と子どもは独立した個人

アメリカでは、日常生活のあらゆる場面で、親と子どもが独立した個人（individual）であるという認識があると感じます。もちろん子どもに全ての判断を任せるわけにはいかない場面も多いので、親子の衝突は存在します。

しかし、子どもが親と違う意見を持ったときにも、子どもの意見は子どもの意見としていったん受け止め、もし結果的に子どもの選択が良くない方向に向かっても、失敗に自身で対応することも子どもの人生の一部だと考える親も多いのです。また、最終的に親の意見を子どもに聞き入れてもらう場合であっても、どうしてそのような意見を持つのかを親子の間で話し合う姿勢が中心にあると感じています。

またもっとずっと遡《さかのぼ》ると、子どもが赤ちゃんのときから一人で寝る習慣を身につけさせる風習も、子どもを自立した存在として育てるアメリカ文化を象徴しているような気がします。

私も長男が赤ちゃんだった頃は日本式で添い寝をして寝かしつけをしていました。子どもと過ごすのも寝顔を見るのも幸せな時間ではあったのですが、なかなか寝付かない、夜中に頻繁に起きる息子と付き合う睡眠サイクルでは親がまったく眠れない状況で、この疲弊しきった生活は続けられないと悩みました。そこでかかりつけの小児科医に相談したところ、「子ども自身が潜在的に自分を落ち着かせる能力を持っているのだから、その力を少しずつ使って一人で眠れるように練習させてあげないと」と指導されたのです。

その指導に従い、恐る恐る欧米式の、寝かしつけ無しで「おやすみ」と言うだけで一人で寝かせる方法に切り替えてみると、数日間大泣きした調整期間はあったものの、親も子も朝まで眠れるようになり、子どもが寝た後に落ち着いて親同士の会話ができるようにもなり、さらには夜の時間を使って仕事もできるようになりました。

育児のスタイルは家族ごとに合う合わないがあり、寝かしつけをしないことがどの家族にも合っているわけではないと思います。しかし、私にとってはこの選択肢が提示されたことで、精神的にも身体的にも救われました。小さい時から親が子どもを信頼する勇気。子ども自身の「同意」を尊重する文化の根底にはそれがある気がします。

子どもの決断を信頼する勇気

危険のない状況であっても、子どもが失敗するかもしれないと心配しながら、親として子どもの選択、またその選択に対応する力を信じることは想像以上に勇気がいることです。子どもは親とは違う人生を歩んでいるのだからとわかっていても、子どもが傷つく経験をしてしまったら、怪我をしてしまったら、そして子どもが大人になってからも、悪い相手と結婚してしまったら、孫の育児で良くない判断をしてしまったら……と親として心配がなくなる日はありません。そんなときでも「子どもがいい判断をするはずだ」「もし失敗してもそれに対応して方向転換できるはずだ」と、子どもなりの決断をリスペクトする勇気を持とうと私も心掛けています。

「勇気」という点について、息子たちがアフタースクールプログラム（学童保育のようなもの）でもらってきたプリントに、次のようなとても心に響くフレーズがありました。

「『勇気』とは『怖くない』と思うことではなく、『怖い』と自然と躊躇《ちゅうちょ》してしまう気持ちを乗り越え、新しい挑戦に心を開いて臨むこと。勇気は大きな行動で示すこともできるし、小さな選択に表れることもある。日常の中で勇気ある小さな判断を意識することから始めよう。そして、その勇気がどのように成長するかを観察しよう」

また、これも小さな例ですが、最近親として「勇気」を発揮したと思ったことがありました。小学2年生と保育園児で新しい学校や園に転入したばかりの上2人の息子たちが、クラス写真を撮る日（ピクチャーデー）に「スーツを着ていく」と張り切ってスーツを着て向かったことがありました。次男は驚きの目で見つめる友達に誇らかに挨拶したものの、長男の方は他の子は普段着で登校しているのを見て急に恥ずかしくなったのか、上からトレーナーを着てしまったそうです。

転校したばかりなのに目立ってしまってからかわれないだろうか、もしスーツを脱ぎたくなったら一人でネクタイやボタンを外せるだろうか、と私はハラハラした気持ちで一日を過ごしたのですが、夕方迎えに行くと、スーツ姿のままで笑顔で走ってくる息子たちがいました。

長男は「最初は恥ずかしかったけど、トレーナーを脱いで自分らしい姿を見せたら、その方がずっと気持ち良かった！　みんなびっくりしてたけど、『ピクチャーデーの王様！』

と呼ばれて、体育もこの格好でやったよ！　僕一人だけだったけど、I did it!（やった！）」と笑顔で報告してくれました。クラスの中で一人だけ違うことをした息子たち、そして集団の中で皆と異なることをする転校生を心を開いて受け入れたクラスメイト、「どちらも『勇気』ある行動だったね」と帰りの車の中で話しました。

大丈夫だろうかと不安を抱えながらも、子どもの「個人」としての判断と対応力を信じて見守る選択をした私も、親としての「勇気」を発揮した場面なのだと思います。

ＹＥＳ・ＮＯを表明し、受け入れる基盤、それは互いが違う個人だということを認め、そして自分や他人の個人としての意思や身体をリスペクトすること。これが本来の意味の「同意」なのだと思うのです。

望む変化に向けての「アドボカシー」

さて、こうしてアメリカ社会に広く根付いている「同意」の概念ですが、日常会話や早期教育の中に広く取り入れられたきっかけは、やはり同意なき性行為や性暴力を告発する＃MeToo ムーブメントの「アドボカシー（advocacy）」の影響が大きかったのだと思います。

単に加害者を告発するムーブメントで終わらせるのではなく、性暴力や同意なき性行為を生むような文化を変えることが大事だという考え方が社会で共有されました。こうした変化の機運のなかで、本当の意味での同意とは、また性差別とは何なのかといった本質的なことが私の息子たちが受ける早期教育でも語られるようになったのは素晴らしいことだと感じます。

「アドボカシー」は日本語で説明するのがなかなか難しい言葉です。主張、提唱、唱道、鼓吹《こすい》、弁護などと訳されますが、望む変化の実現に向けて社会や個人に対して働きかけることを指します。まずこうなってほしいと望む変化があり、その実現のために意見を主張したり、行動を起こしたりし、問題点や変化の必要性についての啓発を行うこと。また、個人的な人間関係の中でも、自分の意見を分かってもらうため、自分の主張や希望を通すために相手に働きかけることも、一つのアドボカシーの形です。

とはいっても、変化は即座に期待できるとも限りません。時には継続的な働きかけも必要になります。だからこれは言ってみれば、現実を一歩前に進めるための、日常に根差した未来への投資かもしれません。

トランプ時代のアメリカは、＃MeToo、Black Lives Matter 運動、Stop Asian Hate 運動に代表されるように、市民の声が社会に実質的な変化をもたらした「アドボカシーの時代」でもありました。

＃MeToo からは「同意教育」が生まれ、セクシャル・ハラスメントの防止が進み、女性のリーダーを多く見るようになりました。私の勤務先であるハーバード大学の附属病院複数を統括するポジションに女性医師が、そしてCDC所長にも女性が就任しました。

Black Lives Matter 運動を通して人種差別の認識が高まったことから、学校教育や職業教育の中で人種を学ぶ授業やトレーニングが採り入れられ、アメリカ史のなかで黒人の歴史に特化して学ぶ講座などが大学に設置されました。バイデン大統領が副大統領は黒人女性、最高裁判事にも黒人女性を任命すると公言し、実現しました。そして企業の経営者や取締役、学校の先生など、リーダーシップをとる有色人種も多く見られるようになったのです。第5章で詳しく触れますが、Stop Asian Hate 運動は長年我慢を美徳としてきたアジア人に声をあげさせ、メディアに登場するアジア人の表象を大きく変えました。

アドボカシーが必要な背景には差別などの分断があり、その分断が完全になくなることはないかもしれません。しかし、多くの人の共感が分断を超える声となり、実社会は間違いなく前進しているのです。

子どもの親が学校に働きかけるアドボカシー

アドボカシーは社会としての変化をめざして働きかける大きなものもあれば、日常生活の中で感じるモヤモヤを解消しようと、望む変化に向けて誰かに対して働きかける個人的で小さなものもあります。

例えば、私の子どもたちが通う学校で、学校側から保護者への連絡手段はメールにしてほしいとお願いしたり、生徒のひとりが遊具でケガをしてしまったとき、安全に作り直してほしいと保護者たちが学校に要請したり、あるいは学校の運営に問題を感じた保護者たちが理事会に働きかけ、その結果理事長が解任されたりしたこともありましたが、これは親として学校に働きかけるアドボカシーでした。

でも、アドボカシーは対立姿勢を鮮明にしたり怒ったり、ケンカしたりすることとは違います。学校の運営の件について言えば、校長先生や運営に関わる先生たちと相互にコミュニケーションできる雰囲気の中で、あくまで「こうしてほしい」という日常会話として伝えることができていました。

要望が聞き入れられる場合もあれば、聞き入れられない場合はなぜできないかの説明がある。これも親子の間における「同意」と同じで、学校と保護者との間に日々のコミュニケーションがあることが基盤になっています。その基盤があるからこそ、いざというときに臆さず意見を伝えられ、また意見を受ける側は聞き入れるか否かにかかわらず、その意見を受け止めるという姿勢が成立するのだと思います。

前に語ったように真の意味での「同意」とは、「自分の身体や意思は自分のもの」という自分を尊重する力を与えてくれるものであると同時に、「相手の身体や意思は相手のもの」と相手をリスペクトすることです。そのような自分と相手へのリスペクトを持ちながらのコミュニケーションこそがアドボカシーの本質なのだと思います。

リサーチアシスタントに学ぶ職場のアドボカシー

私はマサチューセッツ総合病院の小児うつ病センター長として、企業におけるインターンのようなポジションである、研究のアシスタントを雇うことがありますが、彼ら彼女らと接するなかでも、早期からのアドボカシー教育の力を感じることがあります。

リサーチアシスタントは大抵大学を卒業したばかりの若者で、近い将来、大学院の心理学の博士課程や、医師になるためのメディカルスクールなどへの進学を志している人たちです。精神医学に関わる研究の仕事をした経験、履歴が大学院やメディカルスクールの選考過程で加味されるために、こうした職に就くことが多く、私の研究はこのようなリサーチアシスタントに支えられており、我がセンターには必要不可欠なポジションです。

歴代のリサーチアシスタントと接するなかで、何度も「凄いなぁ」と感心させられることがあったのですが、それは大学を卒業したばかりの若さで、ボスである私にためらわずに意見を言うところ、また、自分のために臆さずアドボカシーをすることです。

私の研究に関して、「ここはこういうアプローチのほうがいいのではないか」とサジェスチョンがくることもあれば、任せている論文添削などの仕事量に関して「今やらなければならないことが多すぎると感じる」などと相談に来ることもあります。その際には、一緒にタスクへ優先順位をつけたり、他の人を頼って配分できるタスクはないか、効率化できる部分はないかなどを話し合います。

もちろん上司として要望を聞き入れられない場合もあり、私から彼らの仕事のやり方を変えるようお願いすることもありますし、彼らの研究へのサジェスチョンに反対する場面もあります。しかし、それでも研究に関する意見にしても、仕事に関する相談にしても、私は彼らが率直に言ってくれて良かったと感じることがほとんどです。

こういった意見を、抗議や文句の形ではなく、普通の会話の中で当たり前の相談事として持ちかけられる能力というのは、子どものころから自分の意見を主張し、それがリスペクトされる経験を積んだ結果、身につくのだろうなと感じています。

臨床現場でも感じる「オーナーシップ」～自分の判断は自分のもの

こうして「アドボカシー」が自然に身についている若い人たちに接していると、それは「オーナーシップ（ownership）」とも深く関係していることを実感します。「オーナーシップ」とは直訳すると「所有」という意味で、自分に関わる選択、行動、そして結果を「自分のもの」として「所有」することを意味します。

親子間、あるいは上司と部下の関係などで、上の立場と捉えられる側から下に付く人たちに決断のオーナーシップを持たせてあげることも、弱い立場にいる人が周りに意思を伝えることも勇気がいることです。しかし、スポーツチームなどでも監督の決断にプレイヤーが唯々《いい》従うスタイルよりも、プレイヤーが意見を出して戦略や判断に関わる方が、勝っても負けても皆がその結果を「自分のもの」として受け止め、それぞれの個人が、また長期的にチームが前進するきっかけになることも多いのです。

もちろんそれをまとめるだけの監督やキャプテンのリーダーシップと、「自分の意見は受け入れられることもあれば受け入れられないこともある」と選手たちが納得できるようなサポートが必要ですが、そのようなオーナーシップが機能したときのチームの爆発力は目を見張るものですし、なによりも個々人の精神状態や選手間の関係にも良い影響を与えるものです。

近年この素晴らしい例だと感じたのが、２０２２年のサッカーワールドカップで日本中を熱狂させた日本代表チームでした。自分たちの運命は自分でコントロールするという意思の共有、年齢やポジションに関係なくチームとしての戦い方に意見を出し合い、その意見が採用されうる環境があったこと。それを可能にした監督と選手間の信頼も素晴らしいと感じましたし、そのプロセスを促しサポートするベテラン選手の存在も大きかったと思います。

私の仕事の臨床現場でも、アメリカの患者さんのオーナーシップとアドボカシーに感心させられることが多くあります。

たとえ子どもであっても、多くの場合、自分の症状がこうであるとか、日常生活でどんな不都合が生じているかについて自分の言葉で説明しようとします。中高生であれば、「○○の効果は感じるが、××の症状には効いていないから△△のような治療を試してみたい」といったように、治療方針に関しても主体性をもって診察に関わる子どもも多いのです。そのような患者さんと関わると、それまでの治療経過も含めて患者さんがどう感じ、何を求めているのかが明確なため、提案できる治療法もより精度を上げることが可能になり、医師の私自身もありがたいと感じています。

一方で私自身が患者になった場合には、どこか患者側から医療者に対して意見してはならないような気がしてしまって、自分の身体の治療に関して未だにうまくアドボケートできないところがあります。医師側に立ったときには患者さんの主体的な意見がとてもありがたいと感じるのだから、と不調を感じる機会も多かった妊娠中などは自分で自分の背中を押して意見するようにしていましたが、私にとっては、日常の中で何かを要求することや、他者へ意見することへのハードルがやはりまだ高く感じられることもあるのです。

自分のコントロール下にない他人の判断が自分の状態、成績や評価などに影響した場合、その人への怒り、また「あのとき自分はこう思っていたのに」と消化しにくい思いが湧くこともありますし、自分には自分の世界をコントロールする力はないと無力感を抱いてしまうこともあります。

逆に最終的に上手く行かなかった場合に、その責任を問う相手が自分しかいない状況は辛いこともありますが、自分で考えて、自分のコントロール下でできることをやり尽くした結果の成功はもちろん、失敗もまた「自分のものなんだ」と思えて納得しやすいものです。

だから私自身もどんなにハードルが高く感じられても、自分のことは少しずつでも自分の判断でオーナーシップを持ってアドボカシーをしていかなければ、と頑張ってみようと思っています。そして私の息子たちには、どんな状況であっても自分のことは自分で判断し、それを主張し、自分のためにアドボカシーをしてもいいと感じてもらいたい。そのために、日常の小さな決断や問題解決に、子どもたちも参加させるよう意識して、子どもたちの考えを聞き、アイディアを募り、共に決断していくことで、「親に言われたから」という他人任せの姿勢でいては得ることができない自己肯定感をもってほしいと願っています。

ベアテ・シロタ・ゴードンから学ぶ

私が中学生のころに父が薦めてくれた本のなかに印象的な一冊がありました。『１９４５年のクリスマス――日本国憲法に「男女平等」を書いた女性の自伝』（柏書房）という、日本国憲法に女性の権利を記載してくれたユダヤ系アメリカ人の、ベアテ・シロタ・ゴードンによる自伝でした。

この本を読むまでは、日本国憲法草案が、ベアテを含む25名のアメリカ人によって約1週間で作られたことも知りませんでしたし、日本に民主主義をもたらしてくれたのが日本人ではなくアメリカ人だったことも、そして日本人女性である私に権利を与えてくれたのはたった22歳の女性だったことも全く知りませんでした。

有名なピアニストの父、レオ・シロタの娘としてウィーンで生まれたベアテ。ナチスによるヨーロッパのユダヤ人排斥の時代を前に、レオ・シロタが東京音楽学校（現在の東京藝術大学音楽学部）の教授に就任したことでシロタ家は日本に移住し、その後ベアテは幼少期から思春期まで日本で生活を送りました。ベアテは第二次世界大戦中にアメリカの大学を卒業した後、22歳でＧＨＱのスタッフとして日本に戻り、日本語と英語双方に通じ、日本の文化を深く理解していることを買われ、日本国憲法草案作成チームに指名されました。

たった22歳で日本国憲法の草案に女性と家庭の条文を書いたベアテは、そのときの思いをこのように語っています。

「私は、各国の憲法を読みながら、日本の女性が幸せになるには、何が一番大事かを考えた。（略）赤ん坊を背負った女性、男性の後をうつむき加減に歩く女性、親の決めた相手と渋々お見合いをさせられる娘さんの姿が、次々と浮かんで消えた。子供が生まれないというだけで離婚される日本女性。家庭の中では夫の財布を握っているけれど、法律的には、財産権もない日本女性。『女子供』（おんなこども）とまとめて呼ばれ、子供と成人男子との中間の存在でしかない日本女性。これをなんとかしなければいけない。女性の権利をはっきり掲げなければならない。（略）まず、男女は平等でなくては……」

　女性や家庭に関することは、憲法の後に作られるであろう制定法への記載を待てばいいのではないかという提案もあったそうですが、ベアテはこう語ります。

「私は、女性の権利を具体的に憲法に書いてあれば、民法でも無視することができないはずだと考えた。官僚になるのは、大半が男性であるだろうし、その男性たちは、保守的であることがわかっていたからだ」

「軍国主義時代の日本で育った私は、心配だったのだ。日本民族の付和雷同的性格と、自分から決して意見を言い出そうとしない引っ込み思案的な性格、しかも過激なリーダーに魅力を感じる英雄待望的な一面は、昭和の誤った歴史を生み出した根源的なもののように思う。日本が本当に民主主義国家になれるのかという点で不安を持っていた。だからこそ、憲法に掲げておけば安心といった気持ちから、女性や子供の権利を饒舌《じょうぜつ》に書いたのだった」

「付和雷同的性格と、自分から決して意見を言い出そうとしない引っ込み思案的な性格」とベアテが書く国民性とは、現代でも「空気を読む」重要性が日本文化に織り込まれているように、日本の安全やサービス業の丁寧さ、そしてお互いへの思いやりを生み出す日本文化の素晴らしい要素でもあります。しかし、このような日本人が「空気」を自ら変えること、「自ら権利を勝ち取る」といったプロセスを歩むことは期待できないと感じたのでしょう。

　だからこそ、法体系の頂点にあり、法文を変更することが難しい日本国憲法に女性の権利を入れてくれたことに私はひときわ敬意を抱くのです。そして、以後日本で暮らすことになった何億人もの女性たちの権利の行方が、当時22歳だったベアテの肩にかかっていたと思うと、その責任の重さやプレッシャーは想像もできません。

　しかし、どんなに権利が与えられていても、女性を取り巻く環境や慣習の変化が追いつかないところもまだ多く、女性が権利をうまく行使できない現実への働きかけが必要です。この過程で大切なのも、与えられた権利を自分のものとして捉えるオーナーシップと、それを主張し、環境を少しずつ変えていくアドボカシーなのではないかと感じます。

社会の中で必要な「議論」は「論破」ではない

与えられた権利を手に、日常の中で周囲の人や環境に働きかけていくことの大切さを、ベアテの歩んだ歴史を学んでみると強く思うのです。

やはり、私が住んでいたころの日本では意見することはよくないと見なされる空気、何か不満に思うことやうまくいっていない課題があってもそれを口に出さずにこなしていくことが「大人」と見なされる雰囲気を感じていました。その結果、意見を言わなければならないシチュエーションというのは、我慢に我慢を重ねてもう限界という、大きな問題に差しかかった取り返しのつかない場面に限られてしまい、「怒るか逃げるか」の選択肢しか残されていなかったこともあったと思い返します。

問題が小さな段階で解消されていればそうはならずにすんだのに、解消されずに雪だるま式に大きくなってしまった結果、気づいた時には解決も難しくなってしまう。今私がアメリカで指導するリサーチアシスタントや、診察する子どもの患者さんを見ていると、「怒るか逃げるか」の究極の選択の前に、平常心の会話をするなかでごく自然に解決することができているのに、と思わされます。そのためには個人ではなく、コミュニティ全体で安心して意見や相談ができる環境を作るように努力することが必要です。

日本の教育において、国際社会に通用する議論の力を育てるために、ディベート力や論破力を鍛える必要があるのではないかという議論を最近耳にすることがありますが、社会の中で必要な「議論」というのは、私は決して「論破」ではないと思っています。誰かを言い負かしたり、自分の意見を通すために理屈を並べることで、何かが前進する場面はあまり見たことがありませんし、戦いが必要ではない議論の方が多いものです。良い変化に繋がる議論というのは、自分の意思と相手の意思が尊重された、ケンカではない会話から生まれると思うのです。

「自分の身体や意思は自分のもの」と自分を尊重する力を持ち、「相手の身体や意思は相手のもの」とリスペクトすることで、自然なアドボカシーが生まれるのだと思います。「同意」というと、もしかしたら相手の合意を得ることが目的と思われるかもしれませんが、互いの意思を一致させることよりも、むしろコミュニケーションをすることに重きを置くのです。真に今必要とされている教育とは、「同意教育」の根っこにある、自身と他者に向けたリスペクトを磨く習慣づけにあるのだと思います。

第4章　マイクロアグレッション

ムズムズした気持ちに名前がつくことで

「しずかちゃん」に気づかされた日本の女性観

私が渡米を真剣に考えるきっかけになったのは、大学に入学してから見えてきた日本での女性の地位に絶望したことでした。日本女性を取り巻く現象として私がよく例に出すのは、理想の日本人女性像として描かれている『ドラえもん』の「しずかちゃん」です。

しずかちゃんは優秀で、美しく、優しく、能力がある。しかし、のび太やジャイアンと同じグループにいながらリーダーシップを取ることはなかなかなく、彼女の役回りと言えばいつも「のび太さん、頑張って」とのび太を応援するばかり。入浴をのぞかれて恥じらったり、怖がってのび太の後ろに隠れたり、果てはのび太の妻になるという常に一歩下がった存在にとどまる描き方の裏側には、能力がありながら、それを発揮しないのが女性の美徳として賞賛される日本の文化があると感じ、違和感を覚えました。

しずかちゃんが色んな選択肢を吟味した結果、自分はこういう人になりたいと望んで、そのような人になるのは素晴らしいことだと思いますし、そのような女性の選択があることも全く悪いことだと思いません。しかし、日本においては画一的な理想像が押し付けられてしまっているところがあって、なかなか他の選択肢が見えてこないと感じました。フェミニズムというのは女性の選択を尊重するムーブメントですが、その女性の選択の種類と範囲が日本では少なすぎ、狭すぎると感じたのです。

専業主婦になる選択もフェミニズムの一環で、尊重されるべき選択です。しかし、その裏側に女性が結婚後や出産後に働くのを諦めざるを得ない社会的な構造があるのなら、それはそのような状況下での個人の選択とは別に、社会の課題としてとらえなければなりません。また、専業主婦でなければ「キャリアウーマン」、という二つの対立する女性観にも違和感を持ちました。

私の両親は幸い古典的なジェンダーの役割分業からは離れており、毎朝、分子生物学者の父が私の朝ごはんや学校に持っていくお弁当を作ってくれましたし、母は医師として活躍しながら、料理も手芸もうまく、おしゃれで、それと同時に進歩的な思考を行動に表していました。しかし、友人が遊びに来た時に「舞のママってお医者さんだからキャリアウーマンなんだと思ってたら、料理うまいし、マスカラをうまく塗る方法について質問してたし、可愛《かわい》くてびっくりした」と言われたのをよく覚えています。

料理がうまく可愛いといった古典的な母親のイメージと、キャリアと専門性を持つ女性のイメージが、両立できないという認識が社会の中で無意識に持たれていることに気付かされる発言でした。また、父はお弁当を作るお父さんとして賞賛され、私も父のお弁当を学校に持っていくのを誇りに感じていましたが、「もしママがお弁当を作っていたら、同じように賞賛されることはない」と父に言われ、自分自身が抱えていた無意識のジェンダーバイアスに気付かされ、ハッとさせられました。

私はハーバード大学の医学部の学生を教えていますが、第1章でも述べたように、ハーバードメディカルスクール（医学部）の２０２1年入学者は6割が女性です。私が在籍した北海道大学の医学部では1学年１００人中女性は15人のみでした。

当時、医学部の同級生からは「日本の少子化を止めるには女性が外で働かないという選択をするしかない」「医師は体力勝負だから女性には向かない」「本気でキャリアがほしいなら家庭を持つのは諦めた方がいいと思う」と言われることが日常茶飯事で、また風俗や他の女子大学などの女性との武勇伝のようなものを聞かされることが頻繁にありました。

この話をハーバードの医学生にすると、ハーバードでそのような発言をした場合、退学になる可能性もあるのではないかと男子学生が発言し、「看護師は医師以上に体力勝負かもしれないが、女性でいいのか？」と論理のねじれを指摘する学生もいました。また、学生時代は知りませんでしたが、３児の母となった今私がこの同級生たちに言いたいことは、本当に「体力勝負」なのは、医師の仕事よりも家事・育児だということです。彼らの論理でいくと、体力がある男性がもっとやるべきなのは家事・育児なのではないでしょうか。

　私の願いは何より、医師として患者さんのためになりたいということでした。研究者として病気の原因を追究し、よりよい治療法を探し、患者さんの回復に貢献したい。そういったキャリアに向けた希望と同時に、幸せなパートナーシップ、そして愛ある家庭を築きたいという希望を持っていました。しかし、日本社会での女性観を目の当たりにした私は、流れに乗って「普通」に日本で生活していたら、その両方を手に入れるのは非常に難しいと感じました。

　その後、自分の総合的な幸せのために「日本を去ろう」と決意をしてから、アメリカの医師国家試験受験を経て日本人史上最年少の米国臨床研修医として駆け抜けた20代の日々は、二度と同じことはできないと思うほど心身共に辛い経験で、毎日が１００％以上の努力を要した時期でした。しかし、自分らしく生きることができたと思う期間でもありました。

今振り返っても、「しずかちゃん」に象徴される日本女性に求められている姿と、社会が共有する無意識のジェンダーの偏見こそが問題だと気付いた瞬間、それまで言葉にできていなかったムズムズ感に名前がついたような気がしたのをよく覚えています。

ひどく残念な気持ちにもなりましたが、それと同時に「今まで感じていた違和感は当然だったんだ」とどこか安心するところがありました。問題が言語化されたことによって、私自身はこの理想像を自分に押し付けなくてもいいと思うことができ、「女の子らしさ」や「キャリアウーマン」の呪縛から解放されたのです。

無意識のバイアスに目を向ける

無意識のジェンダーバイアスは日常の至るところに潜んでいると同時に、気づかない間に内面化していることも少なくありません。そのバイアスに日常の中で出会う頻度が多いほど、「そのようでなければならない」といった社会の空気として受け入れざるをえなくなることも。

最初は抵抗を感じていたかもしれない違和感も、実際には口にすることが難しい局面も少なくなく、いつしかスルーすることが日常化していく。でも、その違和感は見ないようにしているだけで心の中から消えるわけではないので、チクチクとうずくこともあれば、職場で、あるいは学校で、折り合いのつかなさを感じるつど、心にダメージとして降り積もっていくこともあるでしょう。その結果、私のようにその場を飛び出そうと大きくジャンプすることもあれば、諦めや心が折れる思いにつながることもあるのだと思います。

ジェンダーに限らず、人種や年齢、体形などへの、社会の中に根付いている無意識のバイアスに目を向けよう、という社会的な機運がアメリカでは生まれています。例えばBlack Lives Matter 運動や＃MeToo について折々に語ってきましたが、近年では、これらのムーブメントの中で、「マイクロアグレッション」という言葉を頻繁に耳にします。

マイクロアグレッションとは、プロローグで述べたように「政治的文化的に疎外された集団に対して日常の中で行われる何気ない言動に現れる偏見や差別に基づく見下しや侮辱、否定的な態度のこと」と定義され、第2章で触れましたが、元々は白人が黒人に対して無自覚に行う貶《けな》しが黒人の精神衛生に悪影響を与える現象を研究したアフリカ系アメリカ人の精神科医チェスター・ピアスが１９７０年代に提唱した言葉でした。

黒人研究者の学術的な功績を賞賛する際に「黒人っぽくないね」と、黒人はアカデミアの世界では成功しないという偏見を前提にした発言をしたり、アメリカで生まれ育ったアジア系アメリカ人に対して「どこの国の出身？　訛りがないね」とまるでアメリカ人ではないと決めつけるかのような発言をすること、また、社会で起こっている差別を認識することなく、「そんな差別は存在しない」と、さも現実には不平等な扱いがないかのように主張することなどがマイクロアグレッションに入ります。

共通しているのは、同じような言葉を、例えば人種差別の構造においては強者である白人が受けることは、黒人やアジア人に比べて相対的に少ないという点です。もちろん、アジア人で女性である私が気づいていない、白人男性が受けがちなマイクロアグレッションもあるでしょう。

さらに、誉め言葉の中にそのような言葉が含まれたり、相手を傷つけようとする意思がないのに発せられる場合が多いことも、マイクロアグレッションの扱いを難しくさせる要因です。実際にそのような言葉を受ける立場にならないと、なかなか当事者としての不愉快さはわからないため、嫌な思いをした経験を話して共有しようとしても、「深く考えすぎ」「気にしすぎ」などと、周りからその思いを否定されることが多く、周囲の理解を得られないために傷ついた本人の心により大きなダメージを残すという特徴もあるのです。

「蚊に刺される」ことに似ている

誰にでもわかる差別と違って理解が難しく感じられるかもしれませんが、私がわかりやすいと感じた譬《たと》えは、マイクロアグレッションの影響について説明する動画の中で語られた、「マイクロアグレッションは蚊に刺されることに似ている」というフレーズでした。

蚊に刺されると痒《かゆ》いし不快ですが、たまに刺されるだけであれば、特に気にならないかもしれません。しかし、例えば「女性」、あるいは「黒人」といった特定のグループの人が、他の性別や他の人種と比べて何百倍も蚊に刺される確率が高かった場合はどうでしょう。

黒人女性が２００回蚊に刺される間に、白人男性は１回刺されるだけだとすると、白人男性が「不快だが気にしない」のに対して、黒人女性は耐えがたい苦しみに襲われ、「もうこんな痒みには耐えられない！」と怒りを爆発させながら強力な蚊取りスプレーを撒《ま》いているかもしれません。しかし、その光景を見た白人男性が、蚊に刺されにくい自分の特権には気付かずに、「僕も蚊に刺されることはある」「ちょっとしたことなのに気にしすぎだ」「黒人女性は怒りっぽい」などという言葉をかけたりすると、自分の苦しみが理解されないと感じた黒人女性の精神的な辛さはさらに増すかもしれません。

同じように、日本では「フェミニストは怖い」「フェミニストはいつも怒っている」という言葉を聞くことがありますが、フェミニストが時には怖いトーンで怒らなければならない背景に目を向けてほしいと思います。「怒っている」ところだけ見れば、フェミニストは怖いというイメージを持たれてしまうのかもしれませんが、男性が受けることのない小さなダメージを、日々家庭や職場などで受けているかもしれない、そうした「見えない」一つひとつに気づいてほしい、という切なる訴えを声にしているのです。

例えば、仕事場でパパッと的確な判断をし、「それは違う」などとはっきりと意見を言うリーダーは、男性であれば「説得力がある」「リーダーシップがある」と賞賛とともに形容されることが多い一方、女性であれば「価値観を押し付ける鉄の女」などと呼ばれることもあります。

ワクチン啓発活動の中で受けた応援メッセージとしてプロローグで紹介した「最初はいわゆる『勝ち組女性』の意見かと疑っていましたが、目にするたびに真剣さが伝わってきました」という言葉に表れる、高学歴の女性に向けられた「疑いの目」も男性はあまり経験しないものでしょう。

『私の〝初めて〟日記（Never Have I Ever）』というアメリカで人気のティーン向けドラ

マで、生物学の博士課程にいるインド人女子学生が、自分の成果なのに上司が自分の名前抜きで論文を書くなど、研究室で不当な扱いを受けているにもかかわらず、“Keep your head down.”（頭を下げて目立たないようにしろ、波風を立てるな）とボーイフレンドからサジェスチョンをされ、その後には“Keep your chin up.”（顎をあげて、誇りを持て）と言われるシーンがあります。“Keep my head down, but keep my chin up.”（頭は下げるけど、顎はあげろ）と自分がボーイフレンドに言われたことについて考えた彼女は、そんなことを要求されるのはおかしいと気付き、そのボーイフレンドとは別れ、自分の研究成果に関する論文にクレジットを入れるように求める決意をします。

このように、波風を立てないと誇りが保てない場面もありますが、女性は強く意見したり自分の要求を声にしたりしないことを期待され、それでも発言する場合は自分の言葉がどのようなトーンで相手の耳に届くか気を付けなければならないことが多いのです。なぜならば、口調や論調への批判に論点をすり替えられてしまうことがあるからです。これも「トーンポリシング（Tone Policing、トーン規制）」という名前が付いている、日常的に女性が受けるマイクロアグレッションの一つです。

一つひとつはどんなに小さなダメージでも、マイクロアグレッションの小さな傷が重なると大きなダメージが残ってしまうことも多く、それだけにマイクロアグレッションに意識を向けてみることが大事だと思います。

実際、マイクロアグレッションは、日常のそこら中に潜んでいます。

「有害な男らしさ（Toxic Masculinity）」の呪縛からの解放

無意識のジェンダーバイアスは男性をも苦しめます。「男の子なんだから泣いちゃダメ」「男の子だからそんなのはできて当然」「男は一家の大黒柱にならなければ」といった何気ないフレーズでも、幼い頃より同じテーマの言葉をかけられる度に「男の子はこう」という固定観念が植え付けられていきます。それは子どもたちの可能性を狭めるだけでなく、心理的に傷つけている場合もあるのです。

この数年、アメリカメディアでは長い歴史の中で「男とはこういうもの」と印象づけてきたことの悪影響を考え、「有害な男らしさ（Toxic Masculinity）」の呪縛を次世代に引き継がせないために、メディアを通してどのような男性像を映し出すべきかといった議論が盛んにされています。

例えば、高視聴率を獲得した２０１９年のナショナルフットボールリーグ（ＮＦＬ）最高峰のスーパーボウルの中継で、髭剃りメーカー、ジレットのCMが話題になりました。CMの前半には今まで男性が笑って見過ごしてきたセクシャル・ハラスメントや暴力のシーンが次々と映し出され、“Boys will be boys.”（男とはこういうものだから仕方がない）というフレーズが流れますが、そこにジレットのキャッチフレーズだった“The Best a Man Can Get”（男のためのベストのもの）をもじって“Is this the best a man can get?”（これが男としてベストなのか？）と視聴者に疑問が投げかけられます。

そこからいじめられている男の子を助ける男性、暴力を止めに入る男性、女性蔑視的な発言をする男性に「やめろよ」と声をかける男性、そしてそんな大人の男性を見ている小さな男の子の姿が映し出されるのです。これからの男の子たちが男らしさの呪縛から解放されて育つために大人の男性がどのようなロールモデルになるべきかといったことを示唆《しさ》する、未来に向けて希望を感じさせる感動的なCMでした。

第2章でも紹介した、パンデミック中にアメリカで人気が大爆発した『テッド・ラッソ』という、アメリカンフットボールのコーチだったテッドがイギリスのプレミアリーグのプロサッカーチームの監督に任命されたという設定のもと、選手やチーム運営者との関係などをコミカルに描いたコメディドラマでも、「有害な男らしさ」が扱われました。幼い頃より「不安や悲しみなどの感情を感じてはいけない」「権力をもってこそ男だ」という無言のメッセージを受け取ってきた男性キャラクターが、特に「強いことが当然」と思われている「スポーツ」の世界で自分の感情に向き合う場面を描いたのです。

『テッド・ラッソ』は全体を通じて陽気なドラマですが、2シーズン目には重いテーマを扱います。テッドが試合中にパニック発作を起こし、それを隠すためにピッチから消えてしまうシーン、そしてテッドの不安の根源には、父親の自殺の記憶があること、また、不安や悲しみと向き合わないために無理に笑いをとっている様などが赤裸々に映し出されます。

テッドは最初はカウンセリングに抵抗しますが、その後セラピストとの対話により自分自身と向き合うことで、抱えている傷が少しずつ癒される様子が描かれ、最終的にはテッドが記者会見でアスリートのメンタルヘルスの扱われ方について問題提起をするシーンも入ります。

テッドのパニック発作を隠そうとする姿、またセラピストの助けを拒む姿に表れているのは、男性は悲しみや不安という弱さを表に出してはならないというグローバルな固定観念であり、さらに、男性のアスリートのイメージが肉体的な強さに象徴されるように、男性のスポーツ監督には、「強い集団を勝利に導くリーダー」として『弱い』感情を感じてはならない」という無言のプレッシャーがかけられていることに気付きます。

もう一人、『テッド・ラッソ』には男性に向けられた固定観念に苦しむキャラクターが登場します。アシスタントコーチのネイトは、何をやっても誉めてくれない父親に認めてほしいと思うあまり、家庭の外では「自分を尊敬しろ」という欲望を丸出しにし、職場の部下を怒鳴るような攻撃性を見せ始めます。

さらに、ネット上で賞賛を受けたことをきっかけにダークサイドに向かってしまうネイトを見ていると、「男は強い権力を持つべき」「周囲から賞賛される存在になるべき」という、社会の中で共有される男性への暗黙の期待が影響したのではないかと感じます。また、ネイトのお父さんが息子を誉めてあげることができないのも、「身内を誉めることなど男の美徳ではない」というストイックな観念があってのものなのではないかと思うのです。

コロナのパンデミック禍で、アメリカの大学の体育会アスリートの自殺者数増加が問題になりました。強さを求められた彼らが助けを求めることができたならと思うと、悔やまずにはいられません。

心というのは無理をすればするほど、隠そうとしている負のエネルギーが別の形で出てきてしまうものなのです。感じてはならない「『弱い』感情」がこみ上げたときには、それをジョーク、あるいは怒りで隠したり、自分を大きく見せようと無理をすることで、実は心に大きな負担をかけてしまうこともあります。攻撃性やパニック発作、また内科的な原因が見つからない身体症状は、正直に向き合っていない感情が表面化したものであることも多く、逆に、感じたままの感情を受け止め、咀嚼《そしゃく》していくことで、今までとは違った内的な力を築くこともできるのです。

「男の子も泣いていい。何かを怖いと感じてもいい。悩んでいることを打ち明けてもいい。苦しいときには助けを求めてもいい。お互いをサポートし合う友情を大切にしていい」。私の息子たちが育っていく中でこのようなメッセージを受け取れることを願っています。

マイクロアグレッションを無視できない理由

世の中で様々な大きな事件が起きている中で些細に思えるマイクロアグレッション一つひとつを取り上げる意味があるのだろうか、また、加害者が危害を与える意図がない場合のマイクロアグレッションはそんなに悪いことなのだろうか、という問いは、アメリカでもよく聞かれるものです。

たしかにどんなに小さな「間違い」でも、メディアやネットで指摘された途端に大きなスキャンダルとして取りざたされる炎上カルチャーを見ると、「悪意のない発言をそんなに批判しなくても」と思う気持ちもわかります。個人が嫌な思いを感じた場合、必ずしも他人の非が関係しているわけでもなく、その人の内面的な何かに起因する場合もあるでしょう。何か嫌な思いを感じたからといって「マイクロアグレッションだ！」と相手を責め立てることは効果的だとは思えません。

しかし、それでもマイクロアグレッションを無視してはならないと思うのには、いくつか理由があります。まず、マイクロアグレッションは何もないところから生まれるわけではなく、個人、そして社会全体が持つ「無意識の偏見」から生じるものだからです。

例えば、「黒人は危険だ」といった「無意識の偏見」が警官による多くの黒人への暴力につながり、「アジア人は劣っている」という「無意識の偏見」によってコロナ禍でのアジア人の殺害などの「人を傷つける」というレベルでは済まない加害へと繋がりました。

マイクロアグレッションはこういった構造的差別が存在する社会の中で無意識に培われた隠れた個人の偏見であり、マクロな差別とは直線で繋がっているのです。また、社会という大きな規模ではなく、個人においても、マイクロアグレッションを受け続けることは心身ともに実害があることが社会科学の研究で何度も報告されています。

もちろん全てが被害者の主観で語られるべきではありませんが、加害の意図がない被害は世の中にたくさんあります。「加害者に悪意がないから」と被害を真剣に取り扱わないことで得をするのは加害者のみであり、被害を受けた者のトラウマは続くことになります。加害者の意図の有無と被害の存在は関係ありません。

そうは言っても、気付かずにマイクロアグレッションの加害者になってしまったことがない人はいないでしょう。言葉や態度の中のマイクロアグレッションを指摘された場合、ついつい「自分は悪くない」と防衛したくなるものですが、マイクロアグレッションの加害に気づいたり指摘されたからといって、「自分は悪い人だ」と思うことはありません。人格の善悪ではなく、自分の中の無意識の偏見に、そしてそういった偏見が誰かを傷つけてしまうことに気付く必要があっただけなのです。

こういった指摘を受けた際に大切なのは、そんな言葉をかけられることが相手にとってどのような経験だったのかを（自分とは違う経験だったとしても）想像してみることなのではないでしょうか。また、被害者が「私はあなたの発言で嫌な思いをした」と加害者に伝えることの難しさも忘れてはなりません。理解されずに再度傷つくリスク、バックラッシュ（反動）の攻撃を受けるリスク、面倒な人だと思われるリスクを背負いながらも、被害について伝えようと決断した努力にも感謝できるようになれたらと思います。

気づくことができなくても仕方ないことはたくさんありますが、それでも相手の尊厳と、自分自身の固定観念や偏見と向き合うことが大事なのだと思うのです。

「固定観念」の脳科学

なぜ「固定観念」、あるいは「無意識の偏見」というのは、「固定」であり「無意識」であり、一回形成されるとその考えを取り払いにくいかというと、それは脳の仕組みに仕掛けがあります。我々の脳は効率主義で、何か新しいことを学ぶときには多くのエネルギーを使い、何度もやったことのある習慣化したことに関しては「考える」エネルギーの消費を節約するようにできています。

例えば、新しい職場に初めて出勤する際には、どこの駅で降りて、どの角を曲がるのかを考えながら向かうため、脳は活発に活動しています。しかし同じ道を何度も通るごとに、反復された脳内の神経回路が繋がって行き、ネットワークが増強されていく。そして増強された脳内の神経回路ネットワークは、「線条体」という脳部位を通して、「考える」担当の脳部位である「前頭前野」の働きを抑制して「もうこの道については考えないでいいよ」というシグナルを送るのです。これが「習慣化」です。

たまに「今日はいつもと違う場所に行かなければならなかった」という日に、うっかり普段通りの駅で降りてしまったりすることがあるのも、「考えないでいい」という抑制シグナルが送られ、脳がオートパイロット（自動操縦）で反復された神経回路ネットワークを使って機能しているからです。

こういった反復の末に形成される神経回路のネットワークというものは、日常生活における習慣だけでなく「考え方」においても同じなのです。社会の中で「女性はこうあるべきだ」と何度も同じメッセージを受け取ったり、「周りで目にする女性はこういう人が多い」といった反復経験が積み重なるごとに「固定観念」という「習慣」が形成され、それが反復されればされるほど増強された神経回路ネットワークが築かれ、前頭前野は「このことについては考えないでいい」という抑制のシグナルを受け取るのです。社会における偏見や差別、固定観念のほとんどが「無意識」であるのはこのためです。

習慣化した思考は、「考えないでいい」という抑制シグナルの下、意思や考えが届きにくい場所にあるので、それに気付くことも、また考え方を変えるのもとても難しい。考え方を変えるためには、抑制のシグナルに対抗して前頭前野を活性化しなければならない。

これはものすごくエネルギーを要することなのです。

また、脳というのは、ストレスを感じるときに前頭前野の働きが抑制されます。短期の生存のためには「考える」前頭前野を抑制して、既に形成されている神経回路のネットワークがひとりでに働くことで、その場の危機を逃れられるような仕組みにできているのです。どんなにいつもとは違うことをしようと思っても、緊張感が高い状況などストレスを強く感じる場面では、「いつもの習慣」に戻ってしまうのはこのためです。

「固定観念」について指摘されても、「考えないでいい」というシグナルを受け取っている前頭前野はなかなか活性化してくれない。「ポリコレの議論は面倒くさい」「考えるのも疲れる」という声が出るのもこういった脳の機能の影響です。

そんな楽な方に流れがちな脳を味方に付けて、長期的にいい判断をするためにはどうしたらいいのか。ここで再度、「再評価」を持ち出させてください。一旦立ち止まって、経験を振り返ってみる。自分の感情、考え、行動について、正直に向き合ってみる。自分だけでなく相手の立場に立ってエンパシーを持って状況を再度評価してみること。こうして今まで抑制されていた前頭前野を活性化してみると、同じ状況でも全く別の捉え方、あるいは別の視点に気づくこともあるのです。

第5章　アメリカ社会の差別から学ぶ

アジア人男性とハリウッド

映る像が変われば、社会も変わる

「同意」が対面する人とのコミュニケーションのあり方を考え直すもので、「アドボカシー」が現実や相手に働きかけて物事の変化を起こそうとするモメンタムで、「マイクロアグレッション」の認識が無意識のうちにもつ固定観念への気づきだとしたら、「どのようなものを日常的に目にして、どのような印象を抱くか」という「表象」はその変化を下支えする「変化のエンジン」ともいうべきものだと思います。

　私たちはメディアを通して何気なく見ているドラマや物語から、恋愛関係を学んだり、行ったことのない外国の人や建物について学んだりすることもあり、とりわけ絵本と子どもの関係を考えればわかるように、実物に触れるより前にライオンやオオカミなどの動物を知ることもあれば、無意識のうちにその動物が物語の中でどのような役割で描かれているかに影響を受けて何かのイメージを得ることも多いでしょう。

人種や性別などの特定のグループについて「この人たちはこういうイメージ」「こういう人はこうあるべき」という固定観念が社会の中で共有されているならば、その印象が正しくても間違っていてもメディアの中にも投影されますし、そして視聴者にとってはそんなメディアを消費することでその固定観念がさらに固まることもあるでしょう。逆に「こんな人でもこれができる！」と社会に蔓延《はびこ》る偏見を払拭するきっかけをつくることもできるのが、「表象」なのです。

古典的な「女性らしい」女性や「男性らしい」男性だけが描かれるのを良しとしないこと、白人以外の俳優が主役に配役されること、ＬＧＢＴＱ＋の人の人生が描かれること。日本でも「ポリコレ」と揶揄されることの多い表象における変化ですが、アメリカにおいてなぜポリティカル・コレクトネスが映画やドラマ、絵本に至るまで表現の現場で重視されるかといえば、そこに表れる無意識の「差別」「偏見」「固定観念」は生きる上での尊厳の問題と直結しているからです。

国民的漫画に象徴される女性の描かれ方

すでに前章で、能力を有しながらリーダーシップを発揮しない「しずかちゃん」を理想像として描く日本の女性観への違和感を綴りましたが、このように日常で目にする描写が自分や社会に対してどのような影響を与えているかについて考え出すと、女性を描く表象を「しずかちゃん」だけでなく、様々なメディアで幼い頃から目にしていたことで、自分の中にも「女性とはこうあるべきだ」という固定観念ができてしまったことにも気付きました。他人や社会から求められるイメージだけでなく、私自身が無意識の偏見を自分に向けてしまっていたのだと。

このような女性の描かれ方を私自身も内面化していた——メディアの表象の威力に気付いたとき、それまでモヤモヤとしていた違和感の正体が初めてわかり、私のなりたい女性の姿は「しずかちゃん」ではないと声にすることができました。そうして日本を飛び出してアメリカに渡った私は、漫画作品のなかに描かれる女性像から遠ざかろうとしたのだと、今ならはっきりとわかります。国民的な漫画作品は、一見ネガティブな形ではありましたが、大きなジャンプをさせてくれる気づきでもありました。

「しずかちゃん」の表象に関する理解がまさに私の原点ですが、時代を隔てても、そんな国民的漫画に描かれる2次元のキャラクターと、実社会に生きる日本女性を比べるなと言われることも少なくありません。しかし私は、漫画も、映画も、絵本も、ニュースのアナウンスも、スポーツの中継も、メディアに表れる表象は社会と直接、深く繋がっているのだと思います。

アメリカメディアにおけるアジア人男性の表象

社会の中の思想や常識が結晶化されてメディアにおける表象を生み出し、そこで目にするイメージは視聴者や読者の考えやイメージ形成にも無意識に影響を及ぼすものです。女性のジェンダーロールはまさにそのひとつ。でも、長くアメリカに暮らしてアメリカのメディアや映像作品に接していると、女性の表象だけでなく、人種の表象についても考えさせられることが多々あります。

例えば、アジア人男性の描かれ方。ハリウッド映画では長らく、日本人だけでなくアジア人男性は馬鹿にされる役柄として描かれがちでした。

もちろんブルース・リーがカンフーのポーズで登場するような、極端なオリエンタリズム的眼差しを感じさせる映画もありましたが、オードリー・ヘップバーン主演の『ティファニーで朝食を』に登場するミスター・ユニヨシという日本人の描かれ方もまた典型的です。演じているのは白人の役者ですが、顔は黄色く塗られ、目は細く吊りあげられ、鉢巻に眼鏡、出っ歯の付け歯、しょっちゅう物にぶつかっては笑われたり、ただ馬鹿にされるためだけに描かれたキャラクターです。

オードリーが演じる女性ホリーがアパートの正面玄関の鍵をなくしては、夜中に同じアパートに住むカメラマンのミスター・ユニヨシの部屋のベルを鳴らし、アパートビルの中に入れてもらう。そのたびに「夜中起こされるのは困る」と怒るミスター・ユニヨシは、「こんど私の写真を撮らせてあげるから」とホリーに宥《なだ》められると、期待と興奮の笑みを浮かべるのに、実際に撮らせてもらえることはない。そんな恵まれないミスター・ユニヨシのシーンを見て、アメリカ人の多くは大笑いしました。

同じように80年代前半生まれの私が90年代に見たティーン映画『すてきな片想い』（84年公開）の中では、留学生のアジア人男性は女の子からは相手にされない、箸にも棒にもかからないお笑い役として描かれていました。またこのキャラクターの名前が、英語のスラングで「長い性器」を意味する言葉をもじったものだったりして、アジア人の性器が小さいというステレオタイプを笑っているわけです。

このように「敬意に値しない」「脅威ではない」「性的に劣っている」というのが長らく、

アメリカ社会におけるアジア人男性の描かれ方としては定着していて、もはやステレオタイプになっていました。

「表現の自由」のあるべき姿

アジア人差別を含む映画の表象に問題提起をした論文や記事などはたくさんありますが、特に白人のコンシューマー（消費者、視聴者）からは『ティファニーで朝食を』という名作を批判してこの表現を差別と呼ぶなんて、映画に関わった人たちや頑張って演じた役者に失礼だ」などという反応もあります。しかし、このように特定の人種への差別が表象されることとの問題は、映画製作者や役者個人の判断によると捉えられるほど単純なものでもなく、表象の批判に関しても「製作者への敬意がない」という簡単なものではありません。

そもそもキャラクターの表象には、その時代における意識も大きく作用するので、ひとりの製作関係者の判断の背景には、社会の常識、社会の集合的無意識のようなものもあります。アジア人男性を馬鹿にするような表象を特に問題視しない常識が社会で共有されていれば、映画製作者も消費者も、仮に映画作品の中で差別的な表現がなされていても、それを差別だと認識できないでしょう。

現に1961年の映画公開直後、ニューヨークタイムズ紙はミスター・ユニヨシのコメディを賞賛しました。また、映画で日本人男性（またはアジア人男性）が馬鹿にされている姿を多くの視聴者が目にすることによって、社会で現に共有されている「アジア人男性は馬鹿にしていい」という常識がさらに強まることもあるでしょう。

このように、メディアで目にする特定の人種に関する描写は社会の中でその人種がどのように扱われているかの表れであり、その描写は逆に社会へ影響を及ぼすものでもあって、メディアの中の表象と社会における扱われ方は相互に影響しあう側面があります。その相互作用に気付く努力をしない限り、結局のところ苦しむのは「馬鹿にしてもいい」という認識が人々に共有され、馬鹿にされ続けるアジア人男性です。さらに、アジア人男性のステレオタイプな表象に関して考え直そうという機運に対して、「それは表現の自由を侵すのではないか」という意見も、特にアメリカの白人社会から現在も出ています。

「表現の自由」は自由社会と民主主義を支える根本なので、芸術やテレビ番組の表現に対する政府による強い規制には、私も賛成できません。映画製作チームやコメンテーターの表現の自由は保たれるべきだと強く信じています。しかし、「表現の自由」は、その表現によって誰かの自由や権利が奪われる状況を保護するためにあるのではありません。

逆に芸術や言葉を通しての「表現の自由」が保障されているからこそ、メディアや芸術を通しての差別表現には、一人ひとりの視聴者に責任があるともいえると思うのです。一人ひとりが差別表現に気付く努力をして、それを言葉にして議論を蓄積していかなければならない。その結果、子どもやマイノリティの尊厳や安全を守るためのルールができることもある。それこそ「表現の自由」のあるべき姿ではないでしょうか。

バスケットボール選手ジェレミー・リンの活躍の報道にアジア人差別

このようなメディアにおける表象は、メディアの中だけの（悪い）ジョークにとどまらず、実社会でのアジア人男性の扱われ方にも悪影響を及ぼします。例えば野球の大谷翔平選手、ダルビッシュ有選手やバスケットボールのジェレミー・リン選手は、プロスポーツの世界で好成績を残しても、その活躍がスポーツ中継のアナウンサーによって、アジア人であることへのからかいとともに報道されることが少なくありません。

ハーバード大学出身の台湾系アメリカ人、ジェレミー・リン選手がニューヨーク・ニックスで大活躍する姿が、苗字のLinと、insanity（めちゃくちゃすごい！）をもじって、“Linsanity!”（リン、めちゃくちゃすごい！）という言葉とともに報道されました。

２０１２年２月４日に対ニュージャージー・ネッツの試合で25得点、７アシスト、２月10日に対ロサンゼルス・レイカーズの試合で38得点、７アシスト、２月11日に対ミネソタ・ティンバーウルブズの試合で20得点、８アシスト、２月14日に対トロント・ラプターズの試合では残り１秒で逆転スリーポイントシュートを決め、ＮＢＡ史上誰も果たしたことのない記録を数週間のうちに築いてしまったという、本当にinsanityの活躍でした。ＮＢＡ選手としては非常に珍しいアジア系で、さらにハーバード大学出身という点でも注目されました。

しかし当時リンのバスケットボール選手としての活躍の報道と同時に、彼に関係する差別発言やＳＮＳ投稿を目にしない日はありませんでした。好意的なコメントの方が多かったものの、アジア人が白人と比べて目が小さいことをネタに“Open your eyes!”（目を開けろ！）とヤジが飛んだり、アメリカで生まれ育ったのにもかかわらず“Go back to China!”（中国に帰れ！）と言われる場面もありました（台湾と中国が同一視されていることも問題ですね）。

また、アメリカ大手スポーツメディアのＦＯＸ ＳＰＯＲＴＳの記者が、前述の対レイカーズの試合後に、アジア人へのステレオタイプな見方に基づく軽蔑的なフレーズを用いてリンについてツイートしました。その試合で38得点を上げたリンに関して、“Some lucky lady in NYC is gonna feel a couple inches of pain tonight.”（今夜、ニューヨークで幸運な女性が感じる痛みは5～6センチだけ）とアジア人は小さな男性器を持つというステレオタイプを使って笑いを取ろうとしました。

同様に大手スポーツ専門チャンネルのＥＳＰＮの記者は、ニックスが負けた別の試合の後、中国系の人に対する差別語の“Chink”（チンク）をもじったヘッドラインで、リンのプレイについて報道しました。その後、抗議を受けて、ヘッドライン作成者は会社から解雇されましたが、リン選手の方は自分の受けるアジア人差別に対して、知性とユーモアを交えて対応し、アジア人のエンパワーメントに大きく貢献しました。

差別語は黒人にはダメ、アジア人にはＯＫ？

２０１２年のこの差別的な報道に対する反応はアメリカ国内で様々でした。「人種差別は絶対に許されるべきではない」という人もいれば、“It was an honest mistake.”（間違えただけで、誰かを傷つけようとしたわけじゃない）、なのでクビはやりすぎだと反対する人もいました。

私自身は、『サタデー・ナイト・ライブ（Saturday Night Live）』（SNL、土曜夜生放送の政治的な内容のコントが多いバラエティ番組）のレスポンスが、非常にクリアに問題点を示してくれたと思いました。

SNLの番組内で、スポーツアナウンサーに扮した4人がリンの報道の問題点を衝くような、鮮やかなコントを披露したのです。4人は揃って大笑いしながら、人種差別用語、フレーズとともにリンの業績を報道していたのですが、アナウンサーの一人が黒人選手に関して同様の人種差別ジョークを言ったところ、残り3人が「なんてことを言うんだ!?」と大反撃し、そのアナウンサーはその場でクビになる、といったストーリーのコントでした。

つまりは現在リンの報道に使われている人種差別用語が、リンのチームメイトの黒人選手に使われることはまずない、なぜならアメリカでは公の場での黒人差別は絶対に許されるものではないからだ、人種差別はダメと言いながら、アジア人に対してはなぜOKなのか？と問いかける内容でした。

近年アメリカでは大学入学者選考の際に、アジア人が不当に低く評価されることが頻繁に話題になっています。イェール大学の入学者選考で、同等な学歴と資格を有している場合、黒人志願者と比べてアジア系の志願者は合格率が10%ほどだったという報告があったり、ハーバード大学でも「学業成績ではアジア系の志願者の得点が高いにもかかわらず、人種を理由に主観的な『人物評価』という項目で一律に低い評価を受ける」という訴えがありました。

白人の志願者も「特権階級にいる人種の努力が正当に評価されない」という「逆差別」を訴えることが多いですが、特権階級の人種ではないアジア系にとっては「逆」ではなく単なる「差別」であることも少なくありません。文句を言わずに低賃金でいい仕事をする、どんな環境でもコツコツと努力をする、さらには虐《しいた》げられても文句を言わない「モデル・マイノリティ（理想的な少数派）」と評判のアジア系アメリカ人は、アメリカのどの地域であっても平均的に学業成績が高いのです。

ボストン近郊に住む白人家族で、「昔だったらうちの子はいい成績を取れただろうに、アジア人の人口が増えた今では全然トップに食い込めない。これでは大学入学者選考に不利だから、できる限りアジア人の割合が低い地域を選んで引っ越そうと思う」とやや不満げに話す知人は一人や二人ではありません。

特権を持たずに成果を出そうとする人に機会を与えるアファーマティブアクション（積

極的差別是正措置）は大切です。しかし、社会で差別される対象でありながら、更に努力も評価されないアジア人はどのように生きればいいのかというテーマが、米国社会でもっと語られるようになってほしいと願っています。

アジア人へのヘイト暴力とStop Asian Hate運動

それでもパンデミックが起きたのが、日系アメリカ人の強制収容が合法であった1940年代や、『ティファニーで朝食を』が作られた1960年代、『すてきな片想い』が製作された1980年代、アジア人差別がメジャーメディアで議論され始めた“Linsanity!”（リン、めちゃくちゃすごい！）の2012年でなく、2020年代でまだ良かったと思わなくもありません。2020年にはパンデミックのさなかのアジア人に対するヘイト暴力に対抗して、Stop Asian Hate運動が生まれ、多くの非アジア人の賛同も得られたからです。

コロナ禍でのアメリカにおいてアジア人に向けられたヘイトクライムの件数は2年間弱で1万件を超えました。新型コロナウイルスが中国の武漢で発見されたことで、中国人（あるいは中国人のように見える人）は新型コロナウイルスに感染しているのではないかと疑いの目を向けられたり、パンデミックが続く責任を中国人が負うべきだといった考えを理由に、アジア人が暴力を受ける事件が多数発生しました。
当時のトランプ大統領が「中国ウィルス」「カンフルー（カンフーとインフルエンザを組み合わせた造語）・ウィルス」などと呼んだことも、アジア系に向けられたヘイトを増強したと言われています。サンフランシスコで84歳のタイ系アメリカ人男性が地面に叩き付けられ殺害された事件や、アトランタ周辺でアジア系のスパが3軒襲撃され、アジア系女性6人を含む8人が射殺された事件など、パンデミック中にアジア系の人々がヘイトの対象になる事件が相次ぎました。

19世紀後半から東アジア系アメリカ人の人口が増える中で、文句も言わずに低賃金でいい仕事をしてくれるという評価を得ながら、第二次世界大戦中の日系アメリカ人は家や土地から立ち退きを命じられ、強制収容所に入れられた際にも「我慢」を合言葉に生き延びた――その忍耐強さの象徴として、日系人もしばしば「理想的な少数派」と語られることがあるのです。

低賃金で重労働をさせ、不当な理由で強制収容を強いた側の人たちが「文句を言わないでやっているから理想的だ」と賞賛する「モデル・マイノリティ」という言葉には、そもそもそこで語られる「理想的」とは、いったい誰にとっての理想なのだろうか、と違和感を覚えずにはいられません。実際、コロナ禍でアジア人に向けられたヘイトクライムがこれほどの規模で起きたのも、いじめても文句を言わない「モデル・マイノリティ」としてのアジア人イメージが社会に浸透していたためとも分析されています。

しかし、19世紀後半から１００年以上にわたって差別が容認されてきたアジア人をめぐる状況がパンデミック中のヘイトを機に大きく前進したのです。Black Lives Matter の運動が盛り上がり、人種差別について語られる機会が増える中で、“Stop Asian Hate”というアジア系への差別に声を上げる運動も大きなうねりとなったのでした。

２０２１年５月にはバイデン大統領が「新型コロナウイルス・ヘイトクライム法案」に署名し、同法が成立しました。私の住む街の近所を散歩すると、Black Lives Matter のサインやＬＧＢＴＱ＋を支持する虹色の旗などを掲げる家がたくさんありますが、それに加えてこの数年でStop Asian Hate のサインも頻繁に見かけるようになりました。

この前進は、長年のアジア人の努力と問題提起があったからであり、アメリカに住む日本人の私は、先人たちの努力に本当に感謝しています。この社会変化と共にアメリカの中でのアジア人男性の表象は大きく変わり始めました。

現在のアメリカのアジア人の表象〜学園アイドルは日系人

ではアジア人の表象はどう変わり始めたのか、前章でも紹介した私が好きな『私の〝初めて〟日記（Never Have I Ever）』というインド系の少女を描くドラマのストーリーを改めてご紹介したいと思います。

このドラマは、高校2年生のインド系アメリカ人のデービーを主人公とするコメディですが、お父さんが急死してしまった後のデービーの高校ライフを描きます。愛するお父さんを亡くした悲しみを上手く表現できないデービーがセラピーを受ける姿や、インドからの移民一世であるお母さんとアメリカで育ったデービーの価値観の衝突などヘビーなテーマも扱う一方で、個性的な親友2人との友情や、学年のなかで成績一番を争うライバルとの掛け合いや、憧れの男の子との恋愛譚もあり、面白さと真剣さのバランスが絶妙なドラマです。

製作はミンディ・カリングというインド系の女性コメディアンで、他にも熱いテーマをコミカルに、しかし優しいタッチで描いたコメディ作品が人気です。

このドラマでは、高校一かっこいい男の子で水泳部のエースという役柄が、パクストン・ホール＝ヨシダという日系ハーフの設定で、またパクストンの日系アメリカ人の「おじいちゃん」（ドラマ内でも日本語で「おじいちゃん」と呼ぶ）も老人ホームで一番の人気者です。

　パクストンが学校で「自分の祖先の苦難について調べて発表する」という課題のためにおじいちゃんからもらった物を見ていたら、その中に日系アメリカ人収容所の葉書を見つけます。「おじいちゃん、収容所に入ってたこと、知らなかったよ」とパクストンがおじいちゃんに話しかけると、「あまり話したいと思う過去じゃないけれど、忘れられないように、自分のような人が次の世代の人たちに実際にあったことだと話していかなきゃね」と、祖父と孫の会話からアメリカにおける日系人の歴史が語られていきます。

　いままで「かっこいい」男性として描かれる機会の少なかった日系男性が準主役になり、「ヨシダ」という苗字を持ち、その歴史にも光が当てられるドラマが登場したこと。表面的な容姿のかっこよさだけでなく、日系人としての背景にもストーリーラインが伸びていき、それも彼のかっこよさとして捉えられる描かれ方に好感を持ちました。

　また、パクストン役の俳優、ダレン・バーネットは母親が日系人ですが、日系の血筋とスウェーデン、ドイツ、ネイティブアメリカンの血筋のミックスなので、典型的な日系ではないバックグラウンドに「こんなの日本人じゃない」という視聴者からの声もあったそうです。この点に関して、何をもって「日本人」「アジア人」として認定されるのかという議論も起きました。

　パクストンのおじいちゃんのように日系アメリカ人収容所に送られた日系人のなかには、混血の人も含まれていました。日系人以外の親がいれば収容所出所の申請もできましたが、全てが認可されたわけではなく、家族が引き離されることもありました。欧米で差別される際にはどんなにアジア系の血筋の割合が低くとも「アジア人」として見なされ、逆に日本では両親共に１００％日本人でないと「日本人ではない」と言われ、混血のアジア人はどこに行っても排除される対象になりうることも考えさせられます。

　それにしても、今までのハリウッド映画に描かれたアジア人キャラクターといえば、白人のストーリーの脇役として面白いパンチラインを放つキャラが多かったのに、この数年のうちに、『シャン・チー』といったアジア人のスーパーヒーローを描くハリウッド映画も登場しただけでなく、キャラクター一人ひとりが深みのある登場人物として、アジア人の家庭やアジア人同士の友情を描くドラマや映画も増えてきたことには喜びを感じます。『好きだった君へのラブレター（To All The Boys I've Loved Before）』というティーンのラブコメディ映画も、主人公が韓国系の女の子で、彼女の家族や友人・恋愛関係がメインのストーリーラインでしたし、『クレイジー・リッチ！（Crazy Rich Asians）』という、中国系アメリカ人の経済学教授の女性がシンガポールの大富豪であるボーイフレンドの家族に会いに行く物語の映画は監督もキャストも全員がアジア人でした。

総キャストがアジア人であることで、コミカルな役のアジア人俳優もいれば、真剣な役の人、かっこいい役の人もいる。これまで縛られていた画一的なイメージから解放され、アジア人の表象がカラフルになり始めていると感じました。アジア人自身のみならず他の人種の人もまたそのカラフルな表象に触れることを通じて、アメリカ社会に生きるアジア人のあり方、人々のアジア人への眼差しも変化していくのだと思います。

ディズニーの未来へのステートメント

第2章でも触れましたが、最近、昔のディズニー映画作品を鑑賞したとき、ある変化に気づきました。視聴前に次のようなメッセージが流れるようになったのです。

「この作品には、人々や文化に対する、否定的な表現や横暴な振る舞いを描写したシーンが含まれています。このような固定観念は作品制作当時でも誤りであり、現代においても誤っています。ディズニーでは、当該箇所を削除するのではなく、こういった偏見が社会へ与える悪影響を認識し、そこから学び、議論を促すことで、多様性あふれる社会の実現につなげていきたいと考えています。
ディズニーは、世界中の人々の多様な経験を反映させた物語を創造し、インスピレーションに富み、向上心を掻き立てる作品をお届けすることに真剣に取り組んでいます」

例えば、血統書付きの犬レディと野良犬トランプの冒険と恋物語を描く、１９５５年に公開されたディズニー映画『わんわん物語』には、２匹のシャムネコが登場します。出っ歯で目は吊り上がり、独特のアクセント付きの英語で喋り、上流階級の白人に飼われる美しい犬をからかって豪邸をめちゃくちゃにしてしまう悪役ですが、これは欧米社会で東アジア人が悪印象をもって描かれるときに使われるイメージを猫に投影したものでした。

他にも『ピーター・パン』『ダンボ』などで同様のメッセージが挿入されるようになったようですが、背景には、コロナ禍のステイホームを機にＤｉｓｎｅｙ＋などの配信を通じて世界中でクラシック作品の視聴者数が増えたこと、また、Black Lives Matter などの動きも受けて、こういった人種差別の要素を含む過去の作品をどう扱うべきかという議論がされるようになったという変化があります。

その結果、ディズニーのスポークスマンは“We can’t change the past, but we can acknowledge it, learn from it and move forward together to create a tomorrow that today can only dream of.”（過去は変えられないけれど、過去の過ちを認識すること、そしてそれから学ぶことによって、夢に描く未来を一緒に築くことはできる）と声明を出し、アフリカ系、ラテン系、アジア系、またＬＧＢＴＱ＋のエンターテインメント団体にアドバイザーとして関わるStories Matter（「ストーリーは重要」「ストーリーは影響力がある」）Initiativeというディズニー内のプロジェクトが始動しました。

２０２１年から２０２２年に発表されたディズニーの作品を見てみると、東南アジアのドラゴンの伝説を描く『ラーヤと龍の王国（Raya and the Last Dragon）』、北イタリアの海岸の街を舞台にシー・モンスターと人間の交わりを描く『あの夏のルカ（Luca）』、コロンビア内戦後の家族を描く『ミラベルと魔法だらけの家（Encanto）』、中国系カナダ人の親子関係を描く『私ときどきレッサーパンダ（Turning Red）』など、まさに世界の様々な人々の歴史と暮らしを題材に映画が作られていることに気づきます。

また、以前には多く見られた「恋愛が成就《じょうじゅ》することがハッピーエンド」というお決まりのストーリーも、女性が男性に守られ、救われる存在として描かれることも少なくなりました。

時代とともに表現の受容をめぐる視聴者の感性も変化しています。昔は受け入れられていた表現が今では受け入れられなくなり、昔の作品の差別表現に触れて「受け入れられない」と感じたり、「こんな表現が許されていたのか」と驚くことも少なくないでしょう。あるいは映画の表現やメディアの報道姿勢に限らず、多くの人が我が身を振り返って、「今では考えられないけれど、昔あんなことを言っちゃった」という経験が少なからずあるのではないでしょうか。

差別というのはどの時代でも良くないことなのですが、差別や表現に関する認識が時代と共に変化することは必然であり、その進歩は素晴らしいことだと思うのです。

「世界中の人々の多様な経験を反映させた物語を創造する」ことの意義

世界中の子どもたちが世代を超えて見続ける映画を作るディズニーの「世界中の人々の多様な経験を反映させた物語を創造する」という提言は重要だと思います。

日系アメリカ人で、『スター・トレック』などに出演したジョージ・タケイがモデルとなった、『アリージャンス（Allegiance）』という戦時中の日系アメリカ人収容施設を描くブロードウェイミュージカルが数年前に上演され、私も見る機会がありました。

それまでも収容施設の存在や日系人が強制収容された歴史的な事実は知っていましたが、実際に財産を奪われ、子どもを連れて暖房や医薬品が行き届かない収容所に送られる日系アメリカ人家族の体験について深く考えたのは、恥ずかしながら、このミュージカルを見たときが初めてでした。歴史的事実のなかを生き抜いた人々の思いや経験を理解するには、彼ら一人ひとりのストーリーを知らなければならないと気付きました。

以前、第二次世界大戦末期の硫黄島での日米の戦いを、日本兵の視点で描いたクリント・イーストウッド監督の映画『硫黄島からの手紙』を見たアメリカ人が、「敵国の日本人にも家族や彼女がいたりして、それぞれの思いで戦争を生き抜いたことを初めて知った」と答えているインタビューを見たことがあります。

それまでアメリカで見た戦争映画では、敵国の軍人たちはただ敵として描かれるだけで、それぞれの暮らしぶりや素顔が思い浮かぶことはなく、彼らの人生や物語について考えるきっかけがなかったのだと。しかし「世界中の人々の多様な経験を描く」ことは、自国中心の歴史観の裏に隠れていた、いくつもの生きた声に触れることを可能にしてくれる。そのなかで単純な敵・味方の区別にとどまらない歴史観が育まれるのだと思います。

アメリカやヨーロッパで核兵器に関して議論される際、私は日本人として、どうしても違和感を覚えることが少なくありません。それは、核の抑止力のような核兵器にまつわる理論や核兵器保持を正当化する政治的な背景ばかりが議論され、実際に核兵器が使用された後の人々の苦しみの悲惨さが語られないからです。

こう感じるのは、私が日本で受けた教育や、『はだしのゲン』などの漫画や、井伏鱒二の『黒い雨』などの小説、そして広島出身の祖父や親戚の実体験から、実際に核に翻弄《ほんろう》された人々の人生を知る機会に恵まれたからでしょう。日本から世界に伝えなければならないストーリーが広く語られることを祈っています。

白人ばかりのアカデミー賞の変化

ジョージ・タケイの家族の実体験を元にしたミュージカル、『アリージャンス』を見た際、もう一つ驚かされたのが、キャストが全員アジア人だったことでした。こんなにも歌もダンスも演技も魅せるアジア人俳優たちがいたのかと驚かされるとともに、驚く自分にはっとし、今までいかにアジア人俳優を舞台で見る機会がなかったかに気付かされました。

アジア人俳優がいないのではない。映画もミュージカル作品も白人が主役のストーリーが紡《つむ》がれることが圧倒的に多く、主役が白人であることが暗に想定されているので、アジア人や他の人種の俳優には役を獲得するチャンスがそもそも巡ってこないという構図が見えました。

この問題点を可視化するためにInstagramで発信されたハッシュタグに＃StarringJohnChoというものがありました。ジョン・チョーは韓国系アメリカ人俳優で、新作の『スター・トレック』ではジョージ・タケイが１９６０年代に演じたキャラクターのヒカル・スールー役を演じています。また、アジア系アメリカ人としては珍しく「アジア人のために」描かれたのではないコメディ映画の主演を務めたこともありました。

＃StarringJohnChoは、白人男性が主演のハリウッド映画のポスターにジョン・チョーの顔をPhotoshopで入れ込み、もしも大ヒット映画の主演をアジア人が務めたら……という仮想の世界を垣間見られるものでした。逆に、どうしてアジア人主演のハリウッド映画がないのか、主演は暗に白人と決まっているのかを問う問題提起の意味もあったのです。

２０１５年と16年、アカデミー賞で主演・助演の男優・女優賞にノミネートされた計40人全員が白人でした。近年、メジャーな役への配役が白人に偏っていることが問題だと認識され始めましたが、2008年の大統領選で共和党副大統領候補だったサラ・ペーリンが「だったら白人以外も演技が上手くなればいいじゃない」という主旨の発言をしました。ハリウッド映画の圧倒的多数が白人のストーリーばかりを描いてきたこと、また「主演は白人」という認識が映画製作者側だけでなく視聴者側にも暗黙のうちに共有されていること、表象に多様性が欠けていることを無視したサラ・ペーリンの発言が如何《いか》に軽薄なものだったかがわかります。

しかし長年の議論を経て、アカデミー賞やハリウッドにも少しずつ変化の兆《きざ》しが見られます。2022年のアカデミー賞では、聴覚障がい者の両親をもつ少女の人生を描いた『コーダ　あいのうた（Coda）』で少女の父親を演じたトロイ・コッツァーが、聾《ろう》の役者として初のアカデミー賞（助演男優賞）を受賞し、前年の助演女優賞を受賞した『ミナリ』のユン・ヨジョンがプレゼンターとして彼にトロフィーを渡した映像はその変化を象徴していました。

黒人とラテン系アメリカ人のミックス（アフロラティーナ）でクィアの女優、スピルバーグ監督のリメイク版『ウエスト・サイド・ストーリー』でアニータを演じたアリアナ・デボーズも同年の助演女優賞を受賞し、受賞スピーチでは自分の人種や性的指向（セクシャルオリエンテーション）についても語りました。

２０２２年アカデミー賞では、『エブリシング・エブリウェア・オール・アット・ワンス（Everything Everywhere All at Once）』が中国からアメリカに移住した中年女性がマルチバースのなかでヒーローになるという斬新なストーリーで、主演の中国系マレーシア人のミシェル・ヨーは60歳ですが、アジア人として初の主演女優賞を受賞し、「これを見ている女性たち、あなたが輝く時期は過ぎたなんて誰にも言わせてはいけない」と呼びかけました。

また助演男優賞を受賞したキー・ホイ・クァンは、ベトナム難民としてアメリカに亡命したばかりの１９８０年代に、『インディアナ・ジョーンズ』や『グーニーズ』といった名作に子役として出演したものの、ハリウッド映画にアジア人男性役が描かれることが少なすぎるために俳優として生計が立てられず、20代以降は俳優業から引退し、映画の裏方スタッフとして働いていました。しかし、近年の時代の変化を感じ、俳優として復帰したのでした。子役として愛されたキーの50代でのアカデミー賞受賞は多くのアジア人、そして映画好きのファンに希望を与えました。

表象は社会を映し出す鏡、変化を生むエンジン

２０２２年夏に公開されたディズニー・ピクサー映画の『バズ・ライトイヤー』は、映画『トイ・ストーリー』の主人公の一人であるバズの来し方を紹介するスピンオフ作品ですが、宇宙を探検するバズのスペースレンジャーとしての仕事のパートナー、アリーシャはレズビアンだという設定です。

バズの宇宙からの帰還の際に、アリーシャが「私、婚約したんだ」と伝えると、バズが“Who is she?”（相手はどんな女性なの？）と聞くシーンで、視聴者はアリーシャの婚約者が女性であることを知ります。作品では、その後彼女が結婚し、家庭を持ち、孫を持ち……という一生をバズの視点から見ることができます。

同性愛を含む内容だということで『バズ・ライトイヤー』はアジアや中東の一部の国では上映中止になったそうですが、実はディズニー・ピクサー社内でも公開前にひと悶着ありました。いったんは「女性同士のキスシーンを削除する」という親会社ディズニー上層部の判断が示され、すると、その判断に対してピクサーの製作スタッフや社員が猛抗議して、キスシーンを復活させたのです。それだけでなく、州内の学校で性的指向や性自認についで議論することを厳しく規制する通称「ゲイと言ってはいけない法案（“Don’t Say

Gay Bill")」を可決させたフロリダ州の政治家へのディズニー社の献金を休止し、代わりに性的マイノリティ支援団体に寄付をする約束をさせました。

もともとディズニー・ワールドがあるフロリダ州はディズニーとの関係が密接なため、献金も多くなされてきましたが、トランプ前大統領の次の共和党大統領候補とも言われる現知事は、ディズニーに反旗を翻《ひるがえ》す「文化戦争」を仕掛けていたのです。

さて、こんなドタバタを経て公開された映画でしたが、私としては、アリーシャの同性愛者というアイデンティティを物語に無理に入れ込むのではなく、一人の人間の人生を描く中にそのセクシャリティが自然と溶け込んだストーリーになっていたのが印象的でした。現にこの映画を見た私の息子たちの反応も「アリーシャの奥さんの名前はKiko（キコ）だからもしかしたら日本人なのかな？」と、アリーシャが女性と結婚したことには違和感を覚えることはなく、奥さんの日本的な名前の方がずっと気になったようでした。

息子たちが過ごすボストン近郊の環境では、実に様々な家族の形態を目にします。保育園で初めてできた長男の親友は、お母さんが2人のレズビアンカップルです。精子バンクで同じ人の精子をもらって、お母さんが1人ずつ子どもを産んだ母2人、子2人の4人家族でした。息子の学校のクラスメイトには人工授精で誕生した三つ子の子もいて、お母さんはシングルマザーでありマサチューセッツ工科大学教授です。アメリカでは離婚後も両親が共同親権を持つことが多いため、中には週の半分はお母さんと、残り半分はお父さんと暮らす子どもたちも少なくありません。

息子も離婚した両親をもつ友達の家に遊びに行くときには、「今日はどっちのおうち?」と事前に確認をするのが習慣になっています。マサチューセッツ総合病院の私の部署のチーフはゲイの男性で、パートナーと一緒に２人の息子をカンボジアから養子に迎えました。養子の子どもと自身で産んだ子どもの２人を育てている同僚もいます。皆、私の家庭と同じように、育児に苦戦することもあり、カップルで喧嘩することもあり、一家それぞれが真剣に人生と向き合って暮らす様子が見られます。

このような家族形態の多様性が新しい常識として広まりつつあるからこそ、『バズ・ライトイヤー』にはアリーシャたちのような家族が自然と描かれ、またそれを目にした視聴者の家族のあり方への考えがアップデートされていくのだろうと思います。時代に応じて移り変わる社会の中の思想や常識がメディアにおける時々の表象を生み出し、そこに映し出されるイメージが、視聴者や読者の考えやイメージ形成にも無意識に影響する。そして、そこに自分たちの声や視点がないと感じたならば、その人は新たな物語の書き手や紡ぎ手になるかもしれません。そんなメディアと社会との相互作用が働くのが「表象」です。

アメリカで育つ日本人の息子たちがアメリカメディアに映し出されるアジア人男性を見て、「自分のアイデンティティには価値がある」「自分はなんにでもなれる」「自分は自分のままでいい」と感じられるように、表象の議論が進むことを願っています。

日本メディアにおける女性の描かれ方などジェンダーロールの表象もまた、漫画やテレビの中にとどまるものではなく社会を映し出す鏡として、消費者も製作者もしっかり見つめる必要があると思います。そこに映る像が変われば、社会に変化を生むエンジンにもなる、私はそう信じています。

第6章　ベトナム帰還兵との対話

Them と Us は簡単には分けられない

ベトナム帰還兵との対話から考える

どんなに時代が変化を遂げてきたとはいえ、コロナ禍、アジア人だというだけで殺されてしまった方々のことを考えるといたたまれない思いですし、私自身も幼少期から今まで欧米で受けてきたアジア人差別のトラウマはなかなかぬぐい切れないところがあります。

私の孫や曾孫たちの世代でも、アジア系の人種であることが彼らの機会を妨げたり、傷つける言葉をかけられる要因でありつづけるのだろうかと考えをめぐらすと、諦めたくなる気持ちも湧いてきますし、「私たちのサポーター」か「ヘイトを向ける人」かといった“Us”と“Them”の分断を感じてしまいます。

しかし、こんなにも“Them”と“Us”で遠く隔たっているように見えても、時間をかけて対話をすることで互いの理解を深めることができる——私にこういった希望を宿してくれた経験がありました。

それは、研修医時代に退役軍人病院で担当した、ベトナム戦争の心的外傷後ストレス障害（ＰＴＳＤ）に苦しめられていた患者のＡさんとの関係でした。Ａさんの診療の中での対話を本の中で紹介してもいいかと質問するために、十数年ぶりに連絡をとりました。「もちろんいいよ」と快く承諾してくれたＡさんに、私は「私の精神科医としての成長に貢献してくれてありがとう」という言葉を贈りました。

「分断」を超えて歩み寄れることもある、そうした希望を、Ａさんとの関係の変化を通じて考えてみたいと思います。

私がイェール大学の精神科研修医として退役軍人病院のＰＴＳＤクリニックで担当したＡさんは、当時59歳のロシア・シチリア系アメリカ人の白人男性でした。

コネチカット州に４人姉弟の３番目、長男として生まれ育ったＡさんは、お姉さん２人とも仲が良く頻繁に連絡を取り合っていました。幼少期の思い出と言えば、厳しいお父さんからしつけと称して理不尽な体罰を繰り返し受けたことだと言います。経済的理由から高校卒業後はすぐに米軍に入隊し、18歳から21歳にかけて海軍の軍務に服してベトナム戦争を経験しました。

45歳のころに米国海軍に再登録し、その後10年間教官として若い新人たちのトレーニングに従事していましたが、心筋梗塞を患《わずら》ったのを機に名誉除隊することとなり、私が診察を始めた当初はスチール製品の工場を経営していました。二度の結婚歴があり、10代後半でした一度目の結婚は「ベトナムのことを忘れるために仕事に没頭しすぎた」ことと「ベトナムであったことに対する怒りでいっぱいであった」ため離婚に終わった、と本人は解釈していました。

その結婚で男の子を2人もうけたものの、子育てに積極的に取り組まず、時に必要以上に厳しい父親であったことを今では後悔していると述べました。息子たちにもその旨を伝えて謝罪し、私がAさんに出会った頃には親子関係は改善されており、息子たちが如何に「いい人間であるか」を誇らしげに語ることがありました。

Aさんは30代後半で再婚、妻と彼女の成人した子ども2人とコネチカット州の自宅で暮らしていました。心筋梗塞を経験し、海軍を名誉除隊した際、何もきっかけがなくとも涙が出るようになったこと、またベトナム戦争のフラッシュバックを主訴に、「信じられないかもしれないが、誰かと話すことで気持ちが楽になるんだ」と精神科の外来に来たそうです。

アジア人嫌いの背景を語る

私がAさんと初めて会った初診時、Aさんは米国海軍のロゴのついたトレーナーと砂ぼこりとペンキにまみれたジーンズに加え、海軍時代に所属していた部隊のロゴの入ったキャップを身に着けていました。指にはいくつも絆創膏が貼ってあり、服と同じように砂ぼこりとペンキが付着していました。

私から「初めまして」と挨拶をすると、着席したAさんは私の目を見ながら、いきなり大声で研修医のローテーションのために担当医が替わることがいかに嫌かを述べました。続いて、10年以上継続して同じ女性にセラピストを務めてもらっていた経験がいかに良かったか、彼女のおかげで、最初の妻と離婚した際に「女性がどのように考えるのかを理解する」というゴールに辿りつけたのだ、とまくし立てました。そして「俺は無敵だ。俺には俺のやり方がある」と主張しました。

初対面の初診時に突然大声で不満を述べた後、何の前置きもなく発せられた「俺は無敵だ」という言葉が一体何を意味するかもわからず、私はひとまず、「無敵ってどういうことですか？」と尋ねました。すると、飼っていたヨークシャーテリアがアフリカ系の隣人に追い掛け回された事件について語り始めたのです。

Aさんは前のめりになり、テーブルをドンドンと叩いて「この犬はネズミと同じ大きさだ！　ほうきで追い回すなんてどういう神経をしているんだ！　お前みたいなNigger（ニガー、黒人に対する差別用語）やSpic（スピック、ヒスパニック系の人種に対する差別用語）が引っ越してきてから散々だよ！」と隣人に怒鳴った様子を再現しました。

怒鳴りながらテーブルを叩くAさんに私は恐怖を感じ、隣の診察室で診察をしている研修同期の友人に聞こえているだろうか、聞こえていて、もしこれがエスカレートすることがあれば「大丈夫？」と診察室を確認しにきてくれるだろうか、などと考えていました。

恐怖を感じながらも、できる限り穏やかな表情を浮かべながら黙っていると、Aさんは更に前のめりになり、大声で「俺は人種差別主義者じゃない。いい人間だが、弟のことをNiggerと呼ぶ。White trash（社会に貢献をしない白人）はNiggerと同じだ。ゴミという意味だ」と言いました。私は、黙ってAさんを観察しつつ、彼の苛立ちや不愉快な差別的な言動を研修医として受けとめ続けなければならないのだろうかと暗澹《あんたん》たる気持ちになりました。

一通りまくし立てると、Aさんは今度はニヤーと薄ら笑いを浮かべながら「おまえはどこの出身だ？」と私に尋ねました。私はすぐさま、「その質問に答えますけれど、どうして知りたいかを教えて下さい」と返しました。Aさんは「ベトナム？　韓国？　中国？」とアジアのどこの国の出身かを言い当てようと試みました。私が再度遮《さえぎ》って、「その質問に答えますってば。でも、その前にどうして知りたいのか教えて下さい」と繰り返してみました。私はなぜこのフレーズがその場でパッと出てきたのかわからないのですが、「私の国籍をなぜ知りたいのですか？」という私からの質問を機にAさんの態度が変わったのです。

Aさんはゆっくり背もたれに背中を預けることで少し時間を稼ぎ、視線を床に落とし、少し抑えた声で語り出しました。

「俺はずっとベトナム人が憎かった……怒りがおさまらなかった……憎くて仕方がなかった……。少し前に友人が帽子をくれたんだ。俺は帽子に目がないから、その帽子がすごく良い帽子なので外側から内側から、何度も手に取っては見てたんだ。すると『ベトナム製』と書いてあった。『ベトナム製』……その文字を見た途端、『最悪だ』と思って、その帽子は捨てた。それほどベトナム人が憎かったんだ。

そして心臓発作が起こった。ちょうど新兵がイラクへ旅立つ前の最後のトレーニングのためにカリフォルニアに向かう前日だったんだ。あいつらは俺が育てた奴らだ、他の誰だって俺のようにはあいつらを上手く訓練できやしない。あいつらは俺を尊敬していたし、俺もやつらに敬意を払っていた。子どもじみた言い訳は許さずに、敬意を払いながら一人前の大人として扱った。俺の子どものようなものだった。（心筋梗塞のために）一緒に戦場に行けなかったことが本当に悔しかった。最後の最後まで、やつらの面倒を見て一緒にイラクに行きたかった……。（少し間を置いて）そこから自分が変わり始めた。突然涙が止まらなくなったし、繊細になったんだ……」

　しばらく床に目を向けて話していたのが、ちらりとこちらを見てアイコンタクトをとったので、私は頷《うなず》いて話の続きを促しました。

「……ベトナム人に対して申し訳ないと思うようになった。（自分の行ったことに）罪悪感をもつようになった。俺たちはベトナム人にとんでもないことをした。妻には死んでも言えないようなことも含めて、だ。ベトナム人はとても良い兵隊だった……とても強かった……だが俺たちはやつらに取り返しのつかないことをしたんだ……。俺らは兵隊だから暴力は仕事の一部だったし、俺個人に責任はないと皆に言われる……だが俺は、未だにやったことを酷く申し訳ないと思わずにはいられないんだ。（深呼吸をして）ずっとずっと、ベトナム人に怒りと憎しみを感じていた……だがそろそろ、この怒りを手放すべき時なのかもしれないとも思う……。

だが今度は中国人が憎くなった。俺はスチール製品を作る会社を経営しているんだが、(中国人は) 今や製造業の全てを乗っ取っている。中国人が腹立たしくて仕方がない。ベトナム人への怒りが中国人へのものとすり替わっただけだ。次から次に怒りが違う対象に移って行く……正直なところ、この怒りをどうしたらいいかわからないんだ」

Aさんの表情が会話のテーマの喜怒哀楽に応じて速やかに変化する様子が印象的でした。この時点で、もはや攻撃的な印象は受けず、率直で充分な振り返りのできているAさんの発言に、私は関心とほのかな共感を抱きました。「怒りを手放したいのに、この怒りをどうしたらいいかわからない」という複雑で正直な思いを語ってくれたAさんに感謝の気持ちも芽生えました。

「俺は無敵だ」

その後Aさんはすぐに話題を変え、海軍での栄誉ある日々について語り出しました。様々な成功体験に加え、心筋梗塞が起こるまでは自分がいかに素晴らしいスポーツマンであり指導教官であったかを饒舌に述べました。笑いながら、心筋梗塞の治療を経て退院した後すぐに海軍のトレーニングに戻り、戻った日からランニングやウェイトトレーニングなどの身体的な必要事項を満たしたことを誇らしげに話しました。そして、“I'm invincible.”（俺は無敵だ、俺は絶対に倒されない）と締めくくりました。

私が笑顔で驚いた表情を向けると、Aさんは再び床に視線を落としました。そして、海軍教官としてのランニングのタイムなどの必要事項を満たしているにもかかわらず、「心筋梗塞の既往」という医療的な理由により名誉除隊となったと述べました。身体疾患により１００％Disabilityと認定されたのだと（Disabilityとは、病気やけがのため働けなくなった人の生活を保障するシステム。米軍がDisabilityを０から１００％まで認定し、退役兵の生活費を給付する。Disabilityという単語は他に「障害」「機能できない」といった意味がある）。

「初めてDisabilityの給付金が振り込まれたときは泣いた。ああ、１００％Disabilityとなってしまった……１００％だ……俺の人生だった……海軍とあのガキどもが俺の人生の全てだったのに……」

それを聞いた私は悲しい表情を浮かべて支持的に頷きました。

するとAさんは今度は表情を明るく切り替え、「俺が製造業で事故に遭ったことを知っているか」と尋ねました。私は、笑顔と好奇心を示し、「存じておりません。何があったのですか？」と尋ね返すと、Aさんは溌剌《はつらつ》とした表情でスチール製品製造技術のことや自身が経営する工場について饒舌に語り出しました。また、最近は工場での自分のミスが目立つようになり苛々していること、さらには後ろ髪を引かれる思いで引退も考えていることを述べました。

そして、ねじの締め忘れが原因で機械から飛んだ金属片が胸部のペースメーカーが埋め込まれている部分を直撃する事故に遭ったことを明るい声で語ったのです。心臓に埋め込まれていたペースメーカーは修復不能なまでに破壊されてしまったものの、金属片の直撃の衝撃をペースメーカーが吸収したため、Aさんの身体は特に目立った被害には遭わなかったそうです。

Aさんは「信じられるかい？」と笑顔で尋ねました。私は笑顔を返しながら「すごい!!ということは、ある意味、心臓発作があなたの命を救ってくれたのですね！」と応じました。Aさんは満足気に「そう、心臓発作が救ってくれたんだ」と言った後、先ほどと同じ言葉を使って、“I'm invincible.”（ほら、無敵だろ？）と締めくくりました。

ここで初診の終盤に差し掛かり、クリニックのカードに私の名前、電話番号と次回の予約日を記載しました。Aさんは書き綴られた名前を見て、私の苗字であるUchidaを発音しようと苦戦しました。「ウチダって読むんですよ」と教えると、今度は温かい笑みを浮

かべながら「出身はどこなんだい？」と尋ねました。「私は日本人です」と答えると、

Aさん：ファーストネームは？
私：ファーストネームはMaiです。
Aさん：日本語ではどういう意味だい？
私：踊るとか……空を舞うという意味です。
Aさん：舞う？
私：空高く優雅に飛び回るみたいな感じです。
Aさん：おお、それはとってもいい名前だね。日本で生まれたのかい？
私：そうです。
Aさん：ここ（米国）に来て幸せかい？
私：はい。
Aさん：それは良かった。幸せなのが一番だ。来週も会おう。
私：来週もお会いしましょう。

診察が始まったときに、こんな気持ちでこの1時間が終わるとは全く予想していませんでしたが、私はＡさんの翌週の診察を楽しみに思いました。

「戦争に意味なんてなかった」

私は研修を修了するまで2年間、Ａさんの治療を継続しました。その間、Ａさんは比較的早い段階でスチール製品製造のビジネスから引退すると決意したものの、実際に工場を閉めるまでにかなり葛藤していた様子でした。

工場での自分のミスがあるたびに、加齢に伴う身体機能や注意力や短期記憶の低下が自覚されるようになり、羞恥心や怒り、そして失望を感じていると打ち明けられました。ようやく引退に必要な書類を提出するところまで漕ぎつけ、既往疾患があるために障害者用駐車場使用許可証を渡されたのですが、せっかく様々な施設で入口の近くに駐車できる許可証を持ちながら、その使用は拒み続けました。やはり、「自分は特別な措置はいらない。自分の身体は衰えていない」と思いたい気持ちの強さについても診察の中で話し合いました。

ＰＴＳＤに関しては、治療開始後もフラッシュバックや外傷的出来事の再体験の症状は続きました。例えば庭の植物にホースで水を撒くときに、あたかも戦時中に銃を撃ったり、毒物を撒いたりしているかのような感覚に陥ったといい、水を撒きながら突然「死ね」という言葉を発したり、攻撃的な感情が湧いたことに気付き、自己嫌悪に襲われたといいます。また戦時中に地べたに這いつくばって敵の兵士から隠れたことが想起されるため、芝生に寝そべることはできないと述べていました。

ある日、「どうしても妻に話せずにいる記憶があるが、話したいと思っているんだ」とＡさんが打ち明けました。拒絶されるのではないかという恐怖心から、妻には打ち明けようと思いながら結局できずに終わる日々を過ごし、とうとうサンクスギビング（感謝祭）の休日の前に、ベトナム戦争中に酷い火傷を負った自分の部隊の仲間を助けられなかったことを打ち明けました。Ａさんの妻はその思い出を聞き、全く否定的な反応を示さず、彼のせいではないと理解を示したそうです。

しかし妻に打ち明けた後もＡさんの罪悪感とＰＴＳＤの症状は続きました。加えて、「あなたのせいではない」とさらっと言い切る妻に関しては、「戦争でのトラウマの体験は今の自分にも影響を及ぼし続けている。その苦しみを妻が理解することはできない」とＡさんはがっかりする様子を見せました。Ａさんは繰り返し、「誰もが『兵隊本人のせいじゃない』と言うが、実際兵士がどんな思いかは理解していないんだ。頭では分かっていても、俺らは『俺らのせいじゃない』なんて微《み》塵《じん》も感じないんだ」と訴えました。「論理的には自分のせいではないとわかっていながら、罪悪感から解放されることはない」というＡさんの体験がいかに複雑で、自身でさえも自分の思いを整理することがいかに難しいかということを話し合いました。

　Ａさんはベトナム戦争に関して、それが彼を「ボロボロにした」「戦争に意味なんてなかった」と繰り返し述べました。ベトナムにいる時は使命だと感じていたが、米国に帰るとすぐに戦争は「無意味」だったと気付いたと語りました。もしベトナムで兵士として行った仕事が世界にとって有意義であったと感じられたなら、今の人生も感覚も異なっていたのではないかと述べました。「意味のない戦争で若者をボロボロにするなんて、国としてやってはいけないことなんだ」と当時話題だったアメリカの中東への侵攻について、苛立つ気持ちがおさまらないとＡさんはよく話していました。

「彼は次の世代だ」～アジア人学生への眼差し

　Ａさんは積極的にボランティア活動に励むことや自身の寛大さに誇りを感じていました。

私が彼の診察を担当して２年目に差し掛かった頃、Ａさんと妻は海外交換留学生のホームステイの受け入れを行うことに決めました。Ａさんは外国の若者をもてなすことがどれほど嬉しいかを述べましたが、韓国からの男子学生を受け入れた時には、彼の外見がベトナム兵を彷彿《ほうふつ》とさせるため、複雑な心境であったと吐露しました。

大雪が降った日に、韓国人の男子学生とその友人の学生２人がＡさんの家の周りを雪かきしてくれたので、大きなピザをとってごちそうしたそうです。ピザを美味しそうに頬張る学生を見た途端に、彼がベトナム兵に見えてしまい、どうしたらいいかわからなくなったと悲しそうに話しました。しかし、その出来事を診察の中で私に話す際、Ａさんはうつむきながらも、「彼は次の世代だ」と繰り返し述べました。

若い世代への希望を語った際、私がアジア人であることについて、Ａさんはどのように感じているかを尋ねてみました。すると、Ａさんは「君は次の世代だ。ここから世界を変えていく一人だ。俺が経験したのとは違う世界にしなければならない」と答え、更には現行の戦争への反対意見についても熱く語りました。私がアジア人であることが気になるかともう一度訊ねると、「いいや、君はとても良くしてくれた。心から人生の成功と幸せを祈っている」と述べ、その後人種にまつわる話題にはそれ以上触れませんでした。

担当医である私のことをアジア人の一人ではなく、独立した個人として捉えてくれるようになったのかもしれないと思いましたが、とはいえ、きっとアジア人である私に対して信頼を寄せ、温かい気持ちを抱くことはAさんにとって言葉では表せないような複雑な思いだったのではないかと想像します。それでも、信頼して様々な話をしてくれたことには、とても感謝していますし、私との対話を通して、Aさんの人生にもいい影響があったことを願っています。

「男は弱さを感じてはならない」の毒性

診察の中で私とAさんは様々な心理的な気づきについて話し合いました。

第4章で綴ったように、私は日本に住む中で「女性の画一的な理想像の呪縛」を感じることがありました。それと同じように、Aさんには「男性の画一的な理想像の呪縛」、あるいは「有害な男らしさ（Toxic Masculinity）」があったことに気付きました。

Aさんはベトナム戦争中の自分の行いや友人を救えなかったという経験から、長らく倫理的な負い目を抱えており、また、原因となったベトナム戦争が無意味な戦争であったことの虚しさを感じていました。しかし、父親からの体罰、海軍の習慣、戦争、また日常生活の中で「男は我慢して強くなければならない」という呪縛に締め付けられ、罪悪感や悲しみ、不安といった「弱い」とレッテルを貼られがちな感情に正直に向き合う機会を奪われてきたのだろうと思います。

「男は強くならなければならない」からこそ、心筋梗塞後も海軍のトレーニングをこなし、スチール製品工場で命を失う危険性のある失敗を繰り返しても自分は「身体も集中力も衰えていない」と証明しつづけようとし、「無敵だ」と思うことで必死に自尊心を保とうとしていたのでしょう。

ベトナム人やベトナム人に似ている人に対して憎しみと怒りを抱いていた様子に関して、敢えて憎しみや怒りの感情を生じさせることで、さらに耐えがたい気持ちである自責の念や無力感を抑圧していたのではないかということをAさんと話しました。

自分の罪悪感と向き合うよりも、誰かを標的に怒りをぶつける方が、短期的にはずっと楽なのです。無力感を受け入れるよりも、誰かを見下し自分には力があるような錯覚を持つ方が、その場では辛くない手段なのです。怒りの対象がベトナム人の枠を超えて他のアジア系やマイノリティ人種にも広がっていた彼の人種差別主義的発言も、己の優越感、あるいは「無力ではない」という感覚を守り、実は悔いている自分の行いを正当化するための、心の防衛機能であったのではないかと話しました。

そんな彼が心筋梗塞という身体疾患によって否応なしに「弱者」となり、「機能に障害を持つ者（Disability）」という名前を付された経験が、これまで感じないように無意識に抑制してきた「無力感」に彼を向き合わせ、心の防衛機能が崩れたことで、内に隠れていた罪悪感も少しずつ表面に出てきたのかもしれません。今まで「男として感じてはいけない」と抑制してきた「弱い」感情が溢れだし、それが涙に表れたという点もあるでしょう。

向き合うことで前に進める「ラジカル・アクセプタンス」

Aさんは、初めて自分の正直な感情と向き合ったことによって、その感情の根源である考えもクリアに見えるようになったのかもしれません。以前は「ベトナム人や中国人が嫌いだ」という考えが怒りの感情を生み、暴言などの差別的な行動に繋がっているように見えていましたが、実はその下にはベトナム戦争中の行いに関する自身の後悔や罪悪感が根深く宿っていて、怒りの下には言葉にするのが難しいほどの深い悲しみ、不安、恐怖などの感情が存在していたのです。

事実や正直な感情と向き合うことは痛みを伴うことも多いですが、呪縛から自身を解き放ち、人生を前に進める一歩を踏み出させてくれるものでもあります。このように事実を善し悪しのジャッジメントなしであるがままに受け入れ、向き合うことを「ラジカル・アクセプタンス（radical acceptance、積極的受容）」と言いますが、Aさんにとっては、今までアクセプト（受容）しまいと拒否していた自分の本心と向き合うことで、新たに社会的弱者に対して素直に共感力を育み、自分の経験は繰り返してほしくないと若い世代への希望を語り、私や韓国人留学生に向けたような温かい視線をも持てるようになったのではないかと思います。

このように私なりの分析を話すたびに、Aさんは深く頷き、自分の考えや希望を述べました。Aさんの何よりも人間として強いところは、自分の思いを理解し、受容し、幸せに向かう変化を起こしたいと努力しているところだと感じました。

分断は単純な色分けではない

Aさんを受け持ち、医師と患者という特別な関係の中で信頼を築いた経験によって、私は精神科医としても、人としても大きく成長することができたと感じます。

時に敵意を向けられ、自分とは相いれない反対側にいるように見える人でも、その人が歩んできた人生へ関心を持って話を聞き続けることで、どのような経験がその考え、感情、行動の源になっているかを深く理解し、怒りの下にはどんなに強い悲しみや恐怖心が宿っているかを知ることができました。もちろん、このような深層心理を深掘りするような関係を誰とでも築けるわけではありませんし、Ａさんのように正直に自分を見つめ、率直に言葉を発することができる人もそう多くはないかもしれません。

しかしＡさんの診察を通して、日本から来た若い女性医師である私と、ベトナム戦争のトラウマからアジア人への怒りを抱えた白人の退役軍人のＡさんとは、大きな地図の上では交わらない相互に「壁」を感じる関係性であっても、時間をとって個人として向き合ってみると、分断とはそんなに単純な色分けではないと学びました。加害者と被害者のように、向こう側とこちら側に分けてわかったように思われても、実際には加害者もまた何らかの被害者であることも少なくないのです。

その複雑さも含め、分断の反対側にいるように見える人とも、心の交流を通して分断を乗り越えることができるという希望を抱かせてもらったと同時に、人々の行動や感情の発露に注目して耳を傾け、一面的でなく多面的に向き合うことの大事さを、いま改めて感じるのです。

第７章　沈黙を破る　「沈黙は共犯」の後で

２０１７年のアメリカを表す言葉「フェミニズム」と「共犯」

アメリカでは、メリアム・ウェブスター辞典（Merriam-Webster）という英語の辞書が、「今年の単語」として、毎年その年を表す言葉をいくつか発表しますが、２０１７年の単語に選ばれたのは“Feminism”（フェミニズム）で、それに次ぐ言葉に、“Complicit”（コンプリシット、共犯的な、悪い流れに逆らわずに乗る）がありました。この二つの言葉は、トランプ前大統領の時代以降、いま現在まで続くアメリカの不条理に抗《あらが》う波と、そこから生まれたムーブメントを体現するものです。女性たちが変化を求めた声、それに賛同して沈黙を破る声。時計の針を巻き戻して、その声がうねりとなり始めた２０１７年時点に立ち戻ってみたいと思います。

２０１７年１月、トランプ大統領が就任した翌日、アメリカ全土でウィメンズ・マーチ

（Women's March）という名のデモ行進が行われ、何十万人もが参加しました。同意なしで「女性器を摑《つか》んでやる」という発言をしたり、不倫相手のポルノ女優に口止め料を払った事実などが発覚しながらも当選したトランプ大統領に、広く抗議の声を上げるデモンストレーションでした。

２０２２年には人工妊娠中絶の権利を認める米連邦最高裁判所の「ロー対ウェイド（Roe v. Wade）」判決が覆《くつがえ》される前代未聞の事態になりましたが、この２０１７年のデモで掲げられたスローガンに、いかなる理由であっても人工妊娠中絶を違法にすべきという一部のトランプ支持層の考え方への反対意見として“My Body, My Choice”（私の身体、私の選択）がありました。

性交や妊娠、そして中絶など、女性の身体に関する選択は（倫理と健康の範囲内で）女性個人に選択権があるという主張。これはロー対ウェイド裁判で訴えられ、獲得された権利だったのですが、トランプ政権下で危うくされるのではという危機感と予兆がすでに広く共有されていたために、奇《く》しくもウィメンズ・マーチの大きなテーマになっていたのです。

一方で２０１７年10月には、映画プロデューサーのハーヴェイ・ワインスタインのセクシャル・ハラスメントが告発され、#MeTooのSNS投稿とともにフェミニズムのムーブメントに火が付きました。

＃MeTooとは、もともとはアメリカの市民活動家タラナ・バークが黒人若年女性の性暴力被害者支援の草の根活動を組織した際のスローガンでしたが、2017年にニューヨークタイムズ紙と雑誌「ザ・ニューヨーカー」が、ハーヴェイ・ワインスタインによる数十年に及ぶセクシャル・ハラスメントを告発する記事を発表すると、女優アリッサ・ミラノが「私もセクシャル・ハラスメントや性暴力を経験したことがある」と告白し、同様の経験を＃MeToo（私も）というハッシュタグとともにSNSで共有するよう呼びかけたことで、広く知られる運動になったのです。

芸能人、アスリート、様々な職業の一般人や学生や母親たちがそれぞれの体験を＃MeTooというハッシュタグをつけてSNS上でシェアし、いかに被害者の多い問題かが可視化されました。一つひとつの告発は、自分の体験をオープンに語った被害者たち（多くは著名な芸能人だった）の勇気を表しており、被害者たちの行動には感動せざるを得ません。当時、私のタイムラインにも知人の＃MeTooの投稿がたくさん流れましたが、その中には女性だけではなく男性の友人の性被害体験の告白もありました。

それまで言葉にできずに被害者たちが長年抱えていた苦しみも、加害者も目にするだろう発信をする際の恐怖もまた、想像を絶するものだったはずです。レイプ体験を公開することで、「あなたの思い込みだ」「あなたのせいだ」などと被害者が批判されるカルチャーが未だに残る中での恐怖。さらに加害者側は、その加害行為によって長年の間、特段の影響を受けずに済む一方で、被害者の多くにおいては、性被害の恐怖と怒りと不安と屈辱の感情を、何十年間も背負い続けなければならないという非対称性。ＳＮＳの悪質な書き込みやいじめとも似たこの構造によって、被害者は心に消えないダメージを受けることが多いのに対し、加害者は相手に与えたダメージを認識すらしていないことが多いのです。

そのように告発のリスクが高く、訴えも難しいがゆえに性暴力や性被害が見過ごされてきた土壌を変えようという大きな機運が生まれ、同意や身体の自己決定権を男女ともに大切にする基盤が作られ始めたのが２０１７年でした。この年を表す言葉が“Feminism”だったことは不思議ではありません。

イヴァンカ・トランプが流行らせた言葉“Complicit”（共犯的な）

さて、一方の“Complicit”はというと、メリアム・ウェブスター辞典はトランプ前大統領の娘のイヴァンカ・トランプの写真とともに紹介しました。政治的なコメディで知られるバラエティ番組『サタデー・ナイト・ライブ（ＳＮＬ）』の一コマがこの言葉を広める原動力だった、とメリアム・ウェブスター辞典は記しています。ＳＮＬがハリウッド女優のスカーレット・ヨハンソンがイヴァンカに扮する、香水の偽ＣＭを作って放送しました。「どんな男性も彼女の名前を知っている。どんな女性も彼女の顔を知っている。彼女が部屋に入るとみんなの視線が注がれる。そう、彼女はイヴァンカ」というナレーションとともに振り返って正面を向くのは、イヴァンカに扮したヨハンソン。

さらに「フェミニスト、代弁者、〝女性の活躍を支持するチャンピオン〟と自称しているけど、彼女はどんな女性支援をしてるの？　アメリカの方向性を変えられるはずなのに、変えない人」というイヴァンカを批判するナレーションとともに、手にした香水が紹介されるのですが、その香水の名前が“Complicit”（共犯的な）でした。

イヴァンカ・トランプは政治の経験も知識もないにもかかわらず、トランプ政権の要職をあてがわれ、国際会議などの席についても、さも何かを考えているような顔で写真に写るが、実際のところ会議の内容に貢献できるような知識や独自の考察など何も持ちあわせず、ただＳＮＳに載せる絵になる写真を撮るためだけに参加しているようなものだと批判の対象になっていました。

本来、彼女のポジションには能力や経験のある女性が就いて実務的な発言をしてしかるべきなのに、ただのお飾りに過ぎない彼女のような人がメディアに取り上げられることで、むしろ女性の社会進出を後退させてしまっているのではないかと懸念する声が聞かれたのです。

大統領補佐官として、アメリカの女性の地位向上のために貢献するなど、社会の方向性をより良く変えられるポジションに就きながら、その力を行使しない人。娘であり女性蔑視のトランプ大統領に苦言を呈することができる要職に就いていながら、逆らわずに悪い流れに乗る「共犯者」という意味で、彼女の立場を表す言葉として“Complicit”が使われたのです。

さらに背景には、そもそもトランプとヒラリー・クリントンが争った大統領選における発言をめぐって、イヴァンカが大きな批判を受けていたという文脈があります。イヴァンカが父ドナルドの応援演説で、「アメリカが誰でも有給の育休を保障される国になるために」などと発言したにもかかわらず、彼女がCEOを務めた洋服ブランド、「イヴァンカ・トランプ」では、従業員たちの産休も育休も保障されていなかったことが指摘されたのです。

選挙運動中のインタビューにおいても、有給の産休・育休の保障や女性の賃金上昇を訴える言葉を並べては「ヒラリーはこのために何も努力してない」と対抗馬のヒラリーを批判したイヴァンカ。対するインタビュアーが、ヒラリーは職場での女性の地位向上のための具体策を1年前より提示していて、しかも30年前から各分野で女性をサポートする政策を実現していることを指摘したうえで、「あなたが言うヒラリーが何も努力してないというのはどの点についてですか？」と聞き返すと、イヴァンカは「ネガティブなトーンのインタビューには答えられない」とさっさとインタビューを切り上げてしまいました。

アメリカ国内だけでなく世界の趨勢《すうせい》にも大きな影響を与える米国大統領選において、具体的な政策の中身や対抗する候補者の実績に見識を深めるどころか、ただポーズとして相手の候補者を批判するだけの中身のなさと、まるで私生活をめぐるインタビューに答えるかのような甘い態度と責任感の低さが批判を受けていたのです。

香水“Complicit”の偽CMの中で使われたフレーズ、「フェミニスト、代弁者、〝女性の活躍を支持するチャンピオン〟と自称しているけど、彼女はどんな女性支援をしてるの？」とは、まさにこのような彼女のフェミニスト気取りの空虚さを指摘したのでした。

“Silence is Complicity”（沈黙は共犯）

それから3年後の2020年、この言葉は“Silence is Complicity.”（沈黙は共犯）というフレーズで、コロナ禍のBlack Lives Matter運動のなかで広く使われることになりました。無実の黒人が警察によって殺害される事件が相次ぐアメリカで、構造的、組織的な差別を無くすにはどうしたらいいか、といった議論が多く交わされる中で、「bystander（バイスタンダー、横で見ている人）ではなくally（アライ、本当の意味でのサポーター）、あるいはantiracist（アンチレイシスト、人種差別反対主義者）になるためにはどうしたらいいか」という議論も広く起こり、“Silence is Complicity.”（酷いことが起きているときに沈黙していることは、共犯だ）といった表現がされるようになったのです。

横で見ている（bystand）だけでは、加害に加担していることにも等しい。Black Lives Matterを通して、人種差別に対して絶対に許容しない、そして人種差別を受けている人のアライであることがあるべき姿だとはっきり掲げられたことは、黒人差別だけでなく、コロナ禍で頻発したアジア人へのヘイトクライムの対応にも拡張されました。

アジア人へのヘイトクライムの報道があると、私の職場の部署のチーフは「心配なとき、自分のアイデンティティについて支持を受けられていないと感じたときはいつでも言ってほしい」と声をかけてくれました。友人も「今アメリカで起きている人種差別は続いてはならない。もしあなたが嫌な思いをすることがあれば、いつでも話してほしい。子どもたちとも、あなたの家族のことを話しながら考えたよ」とアジア系への人種差別に関する子どもたちとの会話を報告してくれたりしました。

２０２１年5月の「アジア・太平洋諸島系米国人の文化遺産継承月間」では、例年どおり様々なイベントやメディアの特集が設けられ、アジア系アメリカ人やアジア人の歴史を知る機会としてだけでなく、アジア人の功績を称えたり、アジア人への差別について学ぶコンテンツも多く発信されたのです。

“Silence is Complicity.”とは、「誰かの人権が侵害されているときに、他者が何も言わないことは、人権侵害の共犯になっている」という意味ですが、今までに多くの人権運動家が語ってきた事実です。死刑廃止運動などを行う国際人権団体のアムネスティ・インターナショナルを支えたイタリア生まれのアメリカ人の人権運動家ジネッタ・セーガンは、“Silence in the face of injustice is complicity with the oppressor.”（不正に直面して沈黙することは人権侵害者との共犯に他ならない）と言い、ホロコースト生還者で差別や虐殺に反対する人権運動家としてノーベル平和賞を受賞したエリ・ヴィーゼルも、“Silence encourages the tormentor, never the tormented."（人権侵害における沈黙は加害者に力を与えるが、被害者に力を与えることはない）と言いました。

公民権運動で活躍し、ジョージ・フロイド殺害事件の翌々月の２０２０年7月に亡くなったジョン・ルイス下院議員の言葉はもっと具体的でした。"When you see something that is not right, not fair, not just, you have to speak up. You have to say something; you have to do something."（不正、不公平、不正義が起きているのを目にしたときには声を上げなければならない。何か言わなければならない。何か行動を起こさなければならない）

Black Lives Matter 運動の中で、このフレーズがソーシャルメディアで拡散されたこともあり、無実で無抵抗の黒人が警察によって殺されている不正を目にして何も声を上げない、行動を起こさないことは、このような人権侵害や殺害を許容し、助長する一因になっているという考えが広く受け入れられていきました。その結果、家族や友人間や職場の人間関係のなかでの声かけに止《とど》まらず、２０２０年5月以降は多くの企業や学校などの組織も声を上げるために行動を起こしたのです。

実社会を大きく動かしたBlack Lives Matter運動

レディット（Reddit）というオンライン掲示板型ニュースサイトを運営する会社の元ＣＥＯのアレクシス・オハニアンは、大企業の中で決定権がある地位に黒人が入らなければ組織は変わらないという考えから、レディットの取締役を辞任し、その席は黒人に埋めてもらうと発表しました。オハニアンは史上最強と言われるテニス選手のセリーナ・ウィリアムズの夫ですが、黒人と白人のミックスの娘に、「お父さんは、黒人差別を撲滅するために何をしたの？」と将来聞かれたときのために、羞《は》じることのない行動を取らなければと思った、と語っていました。

オハニアンはレディットの役員会の席を黒人に譲るだけでなく、ＮＦＬの試合前、無実の黒人が警察に殺害されることの不当さを訴えるために、国歌斉唱の際に起立を拒否し、跪くパフォーマンスをしたコリン・キャパニック（第1章参照）の人種差別反対運動に1億円相当の寄付をすることを発表しました。

私の勤めるマサチューセッツ総合病院もこの流れを受けて変化を遂げた組織のひとつです。人種差別を許容しないという提言を発表し、人種間における医療格差（人種によって受けられる医療の質に差が生まれる状況）を解消するため、医療情報の啓発活動を推進する部署を設立し、コロナ禍で一番被害を被った黒人、ヒスパニック、移民へのコロナの科学情報発信をさっそく強化しました。

新型コロナのワクチン接種が始まる際も、ワクチン忌避傾向が特に強いと言われた黒人コミュニティのために、黒人医師と黒人のフットボール選手による質疑応答の企画を実施して心理的な不安の解消に努めたり、移民の多い地域からアクセスしやすい場所にワクチン接種会場を設置するなどの具体的な対応が実行されました。また、人種差別を改善するために毎年行われるレクチャーは、例年以上にその内容がきめ細やかにアップデートされ、これまでに私が受けた人種差別の講義のなかで一番いい講義だったと感じたほどです。

“Silence is Complicity.”というフレーズとともに、Black Lives Matter 運動は、個人の倫理に留まるのではなく、企業や組織が行動を起こすことに繋がりました。

激動のトランプ時代、大統領の人種差別発言やセクシャル・ハラスメント、科学を無視したコロナ対策がアメリカのみならず世界に与えた負の影響は、想像以上に大きなものでしたが、振り返ってみるとその反面、その負の影響を是正しようと団結して声を上げる動きも高まり、個人のみならず組織としての人権運動への取り組みが進み、実質的な変化に繋がった「アドボカシーの時代」でもあったのです。この期間に大きく前進した#

MeToo、Black Lives Matter、Stop Asian Hate 運動は特に多くの人に気づきを与え、個人や社会への変化をもたらしたアドボカシーでした。アライやバイスタンダーとは何か、といった議論も盛んに行われ、多くの人が人権を侵害されている人やハラスメントを受けている人に対してアライになろうと考えるきっかけになったのです。

大統領よりも力を持つ最高裁判事？

アメリカの#MeToo ムーブメントの中で、象徴的な出来事が２０１８年にありました。連邦最高裁判所判事にブレット・カバノーが任命されたことです。米国最高裁判所は同性婚の承認、人工妊娠中絶の可否、銃規制に関わる判断など、国全体の政策や方向を長年にわたって決定づける大事な判決を下す役割を担うため、最高裁判事にどのような人がなるかは一大関心事なのです。

その思想信条によって、多くの人々の人生が影響を受けるのは歴史が物語っている通りで、２０００年のブッシュ対ゴアの大統領選の接戦をめぐっても、得票数の数え直しなど決着がなかなかつかず、最終的には最高裁が判決を下しました（ブッシュの勝利）。

最高裁判事は終身職で、前判事の引退や死亡によって席が空くまでは新しい判事が任命されることはありません。さらに、これだけ大きな権力を持つ地位でありながら選挙で国民によって選ばれるのではなく、大統領の指名に一任され、指名を受けた人は、これまでの判例でどのような意見を述べ、どのような考えを支持してきた人か、上院で審議された後に承認されます。

判事は思想信条の上で中立でなければならないと言われていますが、しかし同時にまた社会生活を営む一市民なので、自分の信念や支持政党のマニフェストに沿った判決をなすものとみなされており、それゆえ大統領選の投票の際には大統領候補者本人の資質と同じくらい、「この人が大統領になったらどんな人が最高裁判事に選ばれるか」も重要な判断材料になるのです。

2018年にトランプ大統領に指名された保守派のカバノー判事は、上院の審議に入る際、高校時代と大学時代にカバノーから性的暴行を受けたと3人の女性から告発されました。高校時代にカバノーによる性被害にあったと発言したクリスティーン・ブラジー・フォード教授は、上院での公聴会に呼ばれ、当時参加した友達の集まりでカバノーに暴行された様子を根ほり葉ほり聞かれ、その様子が生中継で放送されました。告発によって、トランプ支持者からメールをハッキングされたり、家族で住む家を襲撃されたりと、たくさんの嫌がらせを受けたことも話しました。

フォード教授がどんなに失礼な質問を受けても、感情的にならずに、落ち着いて淡々と知的な受け答えをする様子に多くの人が感銘を受けました。逆にカバノーは、審議中、判事として政治的に中立でなければならない立場にもかかわらず、「これはThe Left（左、リベラル支持層）の陰謀だ」と民主党支持層に対して怒りを露わにし、飲酒や性的暴行に関する質問には正面から答えず、また、議員の発言を遮っては自身の華々しい経歴を語ったりする傲慢な態度に、「こんな人が最高裁判事になるのか」と呆れる声が溢れました。しかし、それでも共和党議員が過半数を占める上院では50対48で、カバノー判事が承認されたのです。

#MeTooは「加害者が告発を怖がるムーブメント」ではない

カバノーの承認は様々な感情を呼び起こしましたが、この承認プロセスがお茶の間に流れることで、セクシャル・ハラスメントや性暴力についての大切な会話が交わされるきっかけとなったことは間違いありません。

フォード教授とカバノー判事の対応の違いを見て、女性の被害者が自分の被害体験を聞いてもらうためには、感情的にならずに相手へのリスペクトを示しながら一つ一つの質問に答えることが必要で、反対に男性の加害者がその加害を否定するには感情的になってもよく、質問を回避しても上院議員を馬鹿にしてもいいといわんばかりの構図は、性被害の被害者と加害者の経験の非対称性を表している、と繰り返しメジャーメディアで報道されました。

＃MeToo ムーブメントは「加害者が告発を怖がるムーブメント」のような捉え方を目にすることもありますが、この考えも性被害における加害者と被害者の非対称性を表していると感じます。被害者が声を上げ、権力ある加害者に対して過去の性暴力を告発すると、加害者たちはその声を否定するばかりか、自分たちが被害者だというような論理のすり替えまでですることがある。加害者側は多くの場合、罪悪感もなければ、過去の行為を忘れてしまうことすらあります。今まで性犯罪やセクシャル・ハラスメントの加害者の多くは、自分の行動がおびやかした相手へのダメージを認識することも、自分の加害行為に罪として向き合う必要もない環境が与えられていました。一方で、多くの被害者は、恐怖と怒りと不安と屈辱の感情を、長年背負い続けます。

この騒動を受けて、「あなたの息子が高校生のときに犯した性暴力が理由で、将来最高裁判事になれなくなる可能性がある状況をどう思いますか？」と呼びかける母親がいました。「高校時代の性暴力が大人になってからの就職に関わるのは間違っている」という人もいましたが、多くの人は「このような例を見て、高校生でも大学生でも性暴力はやってはいけないと理解する子どもたちが増えてくれれば、自分たちの娘も息子も安心だ」という返答をしました。

まだまだ議論は続くでしょうが、カバノー判事の就任が承認されてしまった後でも、政界やメディアで性暴力の経験が広く語られ、犯してはならない重大なこととして扱われるようになった変化は、未来の男性と女性にとって前向きな動きだと私は感じています。

性暴力のない社会は、性加害者の告発だけで実現するものではない。性暴力の背景にある社会やジェンダーの不平等の是正や、女性たちのエンパワーメントや、声を上げられないかもしれない人たちの声に耳を澄ましてみることも大きな意味を持ちます。＃MeToo運動の中で産み落とされ、教育の中で多く語られるようになった「同意」の文化とその広がりについても、第3章に書いたように私の子どもたちが早速恩恵を受けています。

「女性がいるべき場所とは決断の場、全てだ」～ＲＢＧの願い

２０２０年に亡くなってしまった最高裁判事、ルース・ベーダー・ギンズバーグは、１９６０年代からジェンダー平等の実現にそのキャリアを捧げ、アメリカのリベラル層からは名前の頭文字を取って「ＲＢＧ」のあだ名で呼ばれた大人気の判事でした。社会に生きる人々の「声」に耳を傾け、その「声」を変化の波として響かせた人物です。

“Women belong in the kitchen.”（女性は台所にいるべきだ）というフレーズに対しては“Women belong in all places where decisions are being made.”（女性がいるべき場所とは決断の場、全てだ）と言い返し、妊娠中絶の権利を守る判決や、同性カップルの結婚の権利を認める判決に投票した彼女は、旧来的な男女の役割分担が内在化したアメリカの法体系を批判しました。

アメリカの法律は、男性が外で仕事をして家族を養い、女性は家で家事と育児をするという役割分担を念頭に作られており、その結果女性ばかりか男性の権利も守られていないと批判し、法体系に組み込まれたジェンダー不平等を是正しようとしたのです。

例えば、妻を亡くして子どもを一人で育てている男性の弁護をした際、当時の法では夫が亡くなった際に残された妻が受けられる経済的サポートが、妻を亡くした夫には与えられない仕組みだったことをギンズバーグは批判し、その男性が公的支援を受ける権利を勝ち取りました。また、妻のいる空軍職員の男性には住宅手当などが支給されるにもかかわらず、夫のいる空軍職員の女性には支給されないことにも異議を申し立て、男女問わず配偶者のいる空軍職員が同じ権利を持てるように働きかけました。

身体の調子を崩した母親のためにヘルパーを雇用した未婚男性を弁護した際は、女性、あるいは既婚の男性であれば適用されるヘルパー代の税額控除を未婚男性も申請できる権利を勝ち取りました。このような事例を通して、ギンズバーグはジェンダーの役割分担の画一化は女性だけでなく実は男性をも苦しめていて、性別にかかわらず平等な人権が与えられることが生きやすい世の中につながると示してくれたのです。

最高裁判事は、誰かの席が空いた際に在任中の大統領が新たな候補を選び、上院で承認された後に正式に任命され、その地位が約束される終身職です。どのような候補が選ばれるかは、まさに時の大統領にかかっています。二度癌を患いながらも引退しなかったギンズバーグ判事は、トランプ大統領在任中に最高裁判事の席を空けてしまったら、地道に獲得してきたジェンダー平等、人工妊娠中絶の権利、同性婚の権利を脅かす政治思想の持ち主が後任に選ばれることを予期して、2020年11月の大統領選までは続けると宣言していました。

彼女の最後の願いは叶わずに、大統領選2か月前の２０２０年9月に亡くなってしまいました。彼女の死後に予想通り、トランプ大統領によって保守派の判事が指名され、最高裁判事に占める保守派が多数となり、２０２２年には約50年間アメリカの人工妊娠中絶の権利を守って来たロー対ウェイド判決が覆されてしまいました。世論調査では国民の大多数が女性に人工妊娠中絶権が与えられるべきと答えているにもかかわらず、司法の場で、アメリカ全土の女性の「性と生殖の健康と権利」と一人ひとりの人生に多大な影響をもたらす判決が出されたことに恐怖を感じずにはいられません。

しかし、このような状況下でもギンズバーグ判事の遺志はいまも多くの場所で着実に引き継がれています。

アメリカ女子サッカー代表チームのEqual Pay訴訟

２０１９年女子サッカーワールドカップでアメリカチームが4度目の優勝を決めた際、男女混ざった観客からチームに“Equal Pay! Equal Play!”（同じプレイには平等な報酬を！）という掛け声がかけられました。その声の先にあったのは、２０１１年や２０１５年のなでしこジャパンとの対戦でも知られ、きらりと光るサッカーの技術とユーモア溢れるパーソナリティで魅せた、メガン・ラピノー選手です。ワールドカップ最優秀選手賞（MVP）、最多得点賞を獲った彼女は今やすっかり労働環境での女性の権利を訴えるムーブメントの象徴的な存在となりました。

“Equal Pay!”の掛け声の背景には、アメリカ女子サッカー代表選手23人が男子選手の4分の1の報酬しか与えられない現状が問題だとして男子選手と同等の報酬を求め、アメリカサッカー連盟を訴えた際の彼女の行動がありました。男子サッカーに比べて女子サッカーの注目度は低く、興行収入もさほど見込めないのではと思われるかもしれませんが、アメリカではそうではないのです。

例えば2019年の女子サッカーワールドカップ決勝戦は、男女問わずアメリカのサッカー全試合を通じて史上最高の視聴率を叩きだし、その数字は前年の男子ワールドカップ決勝の倍以上でした。2016年から18年にかけての試合のチケット収益も女子チームが男子チームを上回り、また19年の女子代表のユニフォームの売り上げはサッカーユニフォーム米国史上最高額を記録しました。

4度のワールドカップ優勝と4度の五輪優勝を果たしたアメリカ女子サッカー代表は、商業的にも男子代表チームを大きく上回ったにもかかわらず、報酬は男子選手の4分の1

にとどまる賃金格差問題に加え、試合や合宿のための移動手段においても差があること。さらに男子チームにはプライベート飛行機が提供されるのに、女子チームには同様の手当ては何もなく、スタジアムの芝の質も男子スタジアムよりも劣ることなど、様々な点で平等（equal）ではないと、女子チームの代表選手が公式に訴えたのです。

長い訴訟を経て２０２２年２月、アメリカサッカー連盟は女子選手に過去の報酬も遡及的に支払い、以後男子選手と同等の報酬を支払うことを発表しました。

２０１９年の米国のデータでは、同一価値の同等の仕事をした際、男性の賃金を１ドルとすると、女性は０・８２ドルにとどまっていました。アメリカでは毎年３月に男女の賃金格差について社会で認識し、議論するための Equal Pay Day という日がありますが、この訴訟を経て、２０２１年３月の Equal Pay Day には女子サッカー代表キャプテンのメガン・ラピノー選手がバイデン大統領と大統領夫人に招かれ、演説をしました。

ラピノー選手は、自分がスタジアムを満員にしても、世界で一番の選手になっても、歴史的な視聴率やチケットの売り上げを記録しても、その価値を正当な賃金で評価されなかったことに関して、“There’s no level of status, and there’s no accomplishments or power, that will protect you from the clutches of inequality. One cannot simply outperform inequality or be excellent enough to escape discrimination of any kind.”（どんな地位や業績、あるいは権力も、あなたを不平等の魔の手から守ってはくれない。どんなに能力があっても、良い成績を収めても、不平等をもしのぐことはできない）と言葉にしました。

さらに「今まで、女子サッカーができる環境があること自体が珍しいことだから、ありがたく思わなければと言われ続けました。私たちはその環境をありがたいと思っています。しかし、それでも自分たちが置かれている不平等には声を上げなければなりません」というアメリカ女子代表選手の言葉が胸に響きました。

それは、この言葉が世の中の多くの女性に通じるものだと感じたからです。多くの女性は、女性として家庭を持ちながらキャリアを育成できる環境について、ありがたいと思っています。しかし、ありがたいと思うあまり、自分の能力や貢献が正当に評価されているか、それに値する給与や利得が与えられているかについては目を向けない傾向がある気がします。今ある環境に感謝をしながらも、自分の貢献に見合う正当な恩恵を受けているだろうかと冷静に見つめ、自分自身が環境側から感謝されることを求めてもいいんだ、とハッとさせられたのです。

性被害や性同意に関する議論ができるような地点まで前進したこと自体が大きな進歩で

あり、国際的にジェンダー意識の進化の兆しが見えているのかもしれません。私たちの子どもたちが大人になる時代、さらにその先の孫の世代には、女性らしさ・男性らしさの呪縛から解放され、性別によらない平等な人権の確立に繋がるよう、始まったばかりの＃MeToo議論が世界中で続けられることを祈っています。

沈黙を破るために

１９５０年代から60年代にかけて公民権運動の主導者だったマーチン・ルーサー・キングJr.が、当時黒人差別を容認する人たちのことを、「正義が存在する積極的平和より、緊張の不在に過ぎない消極的平和を好む」と批判しましたが、「緊張の不在に過ぎない消極的平和」とはどんな平和なのでしょうか？　それは、誰かの権利や意思が尊重されていなくても「沈黙」を選び、目を背けること、そして習慣化した差別的な固定観念や無意識の偏見があってもそれを「無意識のまま」にすること。その結果、心が傷つく小さな攻撃から大きな実害まで、被害を受ける人がいることを忘れてしまうこと。

そうはいっても、人種差別やジェンダー問題について話すとなると、「間違ったことを言ってしまうかもしれない」「知識が足りないかもしれない」、あるいは「自分も過去に差別に加担してしまった経験があるし」と後ろめたく思う場面もあるかもしれません。私自身もこんな話をするたびに、まだまだ知識も考察も足りていないと感じますし、また人権感覚ひとつとってみても時代とともに進歩しているので、過去の反省体験もあるものです。

しかし、間違うことを恐れて、ただただ傍観者でいるのでは、何も前進しません。逆に、間違った言葉を選んでしまうことがあっても、過去に反省があっても、知識が不十分であっても、分断を超えるための考えを共有し、行動することには誰かの苦痛を軽減させる役割があると信じています。

世界では少しずつ沈黙が破られています。

「正義が存在する積極的平和」のために必要なことは、なによりも我々一人ひとりが無意識に持っている考えを意識的にみつめる「再評価」の努力なのではないでしょうか。自分自身の行動や感情の発露に耳を傾け、自分の意思は自分のものと尊重しながら、自分とも他人とも一面的でなく多面的に向き合うこと。その過程で起こる気づきがアドボカシーの声になり、共感するエンパシーになり、自分事として社会と関わっていく責任と判断に繋がっていくと信じています。

第Ⅲ部

女性小児精神科医が考えた日本社会への処方箋

第8章　子どものメンタルヘルスに向けられる偏見に打ち勝つ脳科学

小児精神科疾患をめぐる非科学的偏見

ここまで、ソーシャルジャスティスの種が時間をかけて芽を出し、個人や社会の中で育っていく姿を紹介してきましたが、私自身も日々、子どもを育てながら、たくさんの患者さんやそのご家族に接しながら、一口では語りきれないソーシャルジャスティスについて、ああでもないこうでもないと学びながら実践を重ねています。

どうして小児精神科医がワクチンの啓発活動をしたのかと不思議に思われる方もいるかもしれませんが、実はワクチンにまつわるデマの拡散や科学に基づかない忌避的な報道と、子どもの精神状態を社会がどのように扱っているかは似ているところがあるのです。科学を無視した印象操作の影響で有効な介入や治療に辿りつけずに本人やご家族が苦しむというのも同じです。

小児精神科の疾患というと、ほんの最近までは子どもが自閉症になるのは母親の冷たい態度のせいだなどと言われていたくらい非科学的な偏見があった分野です。昔と比べて精神科の疾患をめぐる理解は一般にもだいぶ浸透しましたが、「子どものうつ病や不安障害なんか存在しない」と言う人も未だにたくさんいますし、苦しんでいるお子さんを見て、「家族に原因があるのではないか」と家族に向けられる偏見もあります。

「精神疾患＝クレイジー」というようなイメージもまだまだ消えないところがあります。これは全て非科学的な偏見ですが、この偏見が原因となって苦しんでいるご家族や子どもたちが必要な診断や治療にたどり着かないこともあります。だからこそ私は科学の知見を用いて、ご家族や本人の負担を軽減することを目指しています。

今は自閉症に関しては、ほぼ１００％遺伝要因による生まれつきの疾患であり、家族関係が影響するものではないことがわかっています。自閉症は子どもに対して冷たい対応をするお母さんが原因だという先ほどの仮説がかつては医学界の中でも主流でしたが、今は完全に否定されています。

“Direction of Effect”（効果の方向）という用語があります。二つのものに相関関係があった場合にどちらにどちらが影響を与えたかという「方向」にフォーカスしたコンセプトです。相関関係があるというだけではどちらが原因で、どちらが結果かはわからないので、相関関係の方向に着目します。

例えば、宇宙人が地球人を観察し研究した結果、眼鏡をかけている人は目が悪いという相関関係を見つけたとしましょう。そこで宇宙人が「そうか、眼鏡をかけると目が悪くなるんだ」と判断したとします。どうでしょうか、この判断はあっているでしょうか？　実際には眼鏡をかけると目が悪くなるのではなく、目が悪いと眼鏡をかけるわけです。つまり、これは相関関係のある二つのものに対してどちらがどちらに影響を与えたのかを間違えてしまった、間違ったDirection of Effectの例ですね。

私が診療している患者さんには自閉症スペクトラムのお子さんも多いですし、ご自身が自閉症スペクトラムの親御さんとも関わる機会がたくさんあります。自閉症のお子さんがいるご家庭と関わる度に、自閉症児と親や兄弟との間に間違いなく深い愛があるご家庭がほとんどだということがわかります。特徴的な感情表現や言葉遣いをする子もいますが、そういったことが影響して、ご家族ごとに工夫を凝らしてとてもユニークな家族愛の表現をされることも多いのです。

そのご家庭をよく知らない人の目からは、そういったユニークな家庭内の関係性がいわゆる「普通」の温かい家族関係に見えるかと言ったら、そうではないかもしれません。おそらく昔の研究者は、「普通」の感覚に照らして、自閉症のお子さんがいる家庭の「普通の温かい関係ではない様子」が「自閉症」と相関関係がある、と判断したのだと思いますが、これは全く間違ったDirection of Effectだということが今ではわかっています。

精神疾患は環境要因、それとも生物学的な要因？

精神疾患は全て生物学的な要因から生じるものなのか、それとも何か具体的な経験やきっかけがあってなるものなのかという質問を受けることがありますが、この答えは疾患によって異なりますし、必ずしもどちらか一つに該当するわけでもありません。

例えば、自閉症スペクトラム障害に関してはほぼ１００％生物学的な要因であって、環境は関係ないことが研究結果で証明されています。しかし、うつ病や不安障害などは、様々な要因が合わさって生じるものだと考えられています。虐待、性被害、戦争や災害などの本当に辛い思いをした人に関しては、その環境要因によって生じた精神的影響が残って当然です。

しかし、たとえ同じトラウマ体験をした人でも、その後うつ病になる人とならない人がいるのも事実ですし、また逆に良い環境にいながらもうつ病を発症する人もいます。同質のいじめを受けて、うつ状態になって学校に行けなくなる子もいれば、嫌な思いは感じても社会活動には影響を受けないという人もいます。そこにはうつ病になりやすさというような生物学的な要因がある場合もあります。

例えば、3人の子どもが同じ転び方をしたとしましょう。そのうち一人は擦り傷で何も大きな影響はないけれど、一人は骨粗しょう症のような骨密度の低さが原因で骨折してしまった。もう一人は血小板障害を持っていたため、出血が止まらず病院に行くことになった。というように、精神疾患においてもまた、置かれた環境も疾患に影響するけれど、その環境への反応の違いには生物学的な要因があるのです。

うつ病や不安障害も同じように気分が環境に影響されやすくなる生物学的要因が脳にあります。その生物学的要因を私は科学者として脳画像研究を通して少しずつ解明しようとしています。こうやって世の中の精神的な病に関する思い込みを一つひとつ解きほぐしていくことが私のソーシャルジャスティスへの貢献だと思っています。

環境の影響を受けやすい生物学的な要因

私たちの研究をもう一つ紹介します。

うつ病には遺伝要因が存在しますが、親がうつ病に罹患したことのある（うつ病の遺伝要因を持つ）子どもと、うつ病の既往歴のない親から生まれた（遺伝要因を持たない）子どもの脳機能を比べると、ネガティブな刺激とポジティブな刺激への脳の反応が違うということがわかりました。

ファンクショナルＭＲＩ（ｆＭＲＩ）という脳の中のどの部分が盛んに活動しているかを測る技術を使って、ｆＭＲＩの機械の中に入った子どもにいろんな表情の顔写真を見てもらう実験でした。写真の中にはニコニコした表情だったり、悲しそうな表情や怒った表情だったり、またとくにポジティブでもネガティブでもない中立的な表情も見られました。

すると、うつ病の遺伝要因がない子どもたちは、どんな表情でも同じ脳の反応を示したのに対して、うつ病の遺伝要因のある子たちはネガティブな表情に対しては、「感情を生み出す」扁桃体という脳の部位の活動がグッとあがりましたが、逆にポジティブな表情に対してはあまり反応を示さなかったのです。つまり、この研究結果を解釈すると、うつ病の遺伝要因がある子どもたちは、日常生活の中で、誰かに怪訝《けげん》な顔で見られたり、誰かのイライラした表情を見た際、自分の感情が影響されやすいということです。

ネガティブな刺激に対して感情を生み出す脳部位がより大きな反応を示して、ポジティブな刺激に対してはあまり反応を示さなかったということは、何か悪いことが起きたときに他の人以上に感情が影響されてしまう生物学的な要因が既に脳の中にあるということなのです。そのような脳の特徴がある人が、ネガティブな経験が重なるごとにうつ気分になりやすいのは脳科学的によく理解できます。

精神疾患が遺伝するということは？

遺伝子は様々な形で子どもに引き継がれ、多様に発現します。だから「遺伝する」といっても、必ずしも親の疾患が子どもに現れるというわけではなく、親と少し性格の傾向が似ている場合もあれば、同じ疾患を経験することもあり、また全く違う考え方をするケースもあるのです。身長が高い人からは身長が高めの子どもが生まれることが多いですが、それぞれの子どもの身長にはばらつきがあるように、身体だけでなく、感じ方や考え方を司る脳機能の特徴も遺伝して、程度の差は色々でありながら受け継がれることがあるということです。

また、自分が苦しんだ疾患が子どもに遺伝してしまったと自責の念を感じる親御さんの声を聞くことも少なくありませんが、そんな辛さを抱える方にお伝えしたいメッセージがあります。遺伝するのは疾患だけではなく身長や顔つきなどの身体的な特徴や、特技や趣味、また考え方など様々な要素であり、そのなかには現代社会を生きる人間として「良いもの」も「悪いもの」もどちらも入っていて当然です。お子さんの愛くるしいと思う特徴や、お子さんの目を輝かせる趣味や特技なども全て受け継がれた遺伝子の発現によるものなのですから、疾患だけに目を向ける必要はありません。

　そして脳の可塑《かそ》性は素晴らしいものです。どんなに生まれ持った特徴やリスクがあっても、自分の感情を正直に受け止めること、それに対応する考え方や感情のコントロールを練習することにより、うつや不安を軽減したり、回避できることもあるのです。遺伝要因は一つの要因であるだけで、絶対的なものでもなく、悲観的に捉える必要はありません。

コロナ禍で増える子どもたちのうつ病

　しかし、どんなに周囲の働きかけや本人の努力があっても、精神疾患を発症する子どもがいるのも事実です。子どもの精神疾患は実は広く罹患者がいる非常に一般的なものなのですが、世界的に未だ偏見が強く、経験者やそのご家族が子どもがメンタルヘルスで悩むとはどのような体験なのかを共有しにくい環境にあります。

　アメリカ疾病予防管理センター（ＣＤＣ）によるとうつ病の有病率は３〜17歳の子どもで４・４％（２０１６〜19年）、12〜17歳の思春期の子どもでは15・１％（２０１８〜19年）と報告されており、全く無視できない数の子どもたちがうつ状態で苦しんでいることがわかります。またパンデミックの影響は大きく、コロナ禍でのアメリカでは更にその数は増え、日本の文部科学省や厚生労働省が発表しているデータでも２０２２年度の児童生徒の自殺者数が過去最多の数値になったという報告がありました。

　うつ病と聞くともしかしたら、悲しくて塞ぎこんでしまっている状態を想像される方が多いのではないかと思いますが、実際、子どものうつ病というのは、そのイメージ通りの症状として表れることもあれば、イライラする、やる気がでない、会話やタスクに集中できない、さっきまで考えていたことが思い出せないというような、本人のモチベーションの問題に思われるようなわかりにくい症状であったり、また疲労感、頭痛や耳鳴りなどの身体症状に表れることも多いのです。

　誰でも時としてイライラすることやる気が出ないこともあるでしょう。しかし、どんなに気分転換しようとしても、鬱々とした気分や身体症状が続き、そしてそのような症状が原因で、仕事や学校といった日常の社会生活に支障が出るような場合は、うつ病である可能性もあります。

　診断名は問題を明瞭にすることに役立つこともありますが、診察や治療、セラピーを受けるためには診断名は必須ではありません。むしろ、診断名が付かずとも、少し心が苦しいと感じる程度の時期にカウンセリングに通うことで精神的な苦痛を回避できるのであればその方がいいので、診断名にこだわる必要はありません。

　そして、うつ病という診断名が付いた場合も、とても辛い状況かと思いますし、試行錯誤を繰り返しながらの治療で回復の過程に時間がかかることもありますが、それでも治療薬やセラピーによって「回復が望める診断名」だということも忘れないでください。今が辛くても必ずトンネルの先には光があるということを忘れないでください。

診断や治療はまだ早い？

　私が5歳の子の不安症状とうつ症状に関する相談を受けた際、その子のお父さんが、自分も幼少の頃より不安やうつに苦しんでいたが、医師も親も「そのうち変わるかもしれないから」「まだ早い」と言い、10代後半で自殺未遂をするまで治療は受けられなかったという話をされました。

今では双極性障害（別名、躁うつ病）の診断を受け、治療により通常の家庭生活や就業ができているそのお父さんは、「治療法もあるのだから、自分はあんな最悪の状態まで悪化する必要はなかった。『子どもだから』というだけの理由で診断や治療を受けられなかった。10年以上苦しんでいたあの子ども時代はなんだったんだろう」との思いを口にし、自分の子どもには小さい頃から得られる助けは受けるようにして、自分と同じような辛い経験はさせたくないと訴えられました。私はこの早い段階でその子の人生の方向性を変える医療的サポートができて、光栄に思いましたし、お父さんの強い思いに感銘を受けました。

気分障害の子どもがどのくらいいるかという調査の一つに、双極性障害についての代表的な研究があります。双極性障害を患っている大人の患者さん1000人ほどに「いつから気分障害の症状が出ていましたか？」という質問をしてみると、回答者の3分の1は大人になってから症状が始まったと答え、3分の1は思春期の頃に始まったと、そして残りの3分の1の患者さんはもっと小さい子どもの時期から症状があったと答えました。つまり3分の2の方は子どものころから躁うつ気分症状があったということです。

早期介入は必須なのか？

では逆に、早期診断や早期介入は絶対に必要なのかというと必ずしもそうではありません。例えば、世界的に、コロナ禍に生まれた子どもはそれ以前に生まれた子どもに比べて言語発達などのコミュニケーションの分野での遅れが目立つという報告がされています。

パンデミック中に生まれた子どもたちは、保育園や幼稚園が休園していた時期が長く、開園していてもコロナ禍の間は通わない選択をした家族も増え、お誕生日会や行事もなく、家族以外と関わったことが生まれてから一度もない子どもも少なくありませんでした。このように社会交流の機会や刺激が極端に減少したことがもっとも大きな原因と考えられており、おそらくこういった発達の遅れは「一時的なもの」で、今後追いついてくるだろうと多くの専門家は語っています。

こういった状況では、「1歳までに〇〇ができるのが普通」といった一般的なマイルストーン（達成目標）をそのまま使えないところもあり、心配すべきなのかどうかわからないグレーゾーンで悩んでいるご家族が多くいるのです。

こんなときには自閉症などの発達障害が心配になると、症状らしいものを見つけては憂い、そればかり見えてしまい憂鬱になってしまったり、逆に「発達障害ではないかも」という特徴を見つけては「大丈夫だ」と思ったり、毎日毎日、子どもの小さな変化に一喜一憂しながら成長を見守っているという親御さんがとても多いのです。

でも、こういったプロセスはとても自然なもので、その一喜一憂を恥じることはありませんし、無理に修正しようとしなくていいのです。一喜一憂を繰り返した結果、「やっぱり困る症状が多いな」と思う経験が続いたら、診断や症状と付き合っていく決意ができてくるものなので、その時期に診察に繋げればいいのではないでしょうか。

そうはいっても専門家の介入を避ける必要もありません。アスリートが体力をつけるためにトレーニングを行ったり、身体的な怪我を予防するための柔軟体操やウォームアップをしたり、怪我をしてしまったらリハビリをすることに疑問を感じる人はいないでしょう。また、学力を上げるために塾に行ったり、苦手分野を克服するために家庭教師を雇う人もよくいます。身体の健康や学力と同じように、心の健康、メンタルヘルスも子どものころより育成していけるものなのです。

病である場合には治療できることはたくさんあります。そして、病という診断名があってもなくても、自分の感情や考え方をよく理解し、心との付き合い方について学び、日常生活の中で意識していくのはいいことなのです。

鬱々とした気分に悩まされるから、やる気が出ないから精神科に行ってみる、親子関係がうまくいっていないから、自分のセクシャリティに悩みを感じるから、あるいは、不安障害やうつ病についての知識を得るためにカウンセリングに行ってみる――そんなメンタルヘルスをめぐる介入は子どもだから早すぎると避ける必要はなく、むしろ私は早期教育や義務教育で心をめぐる基礎的な知識を教えてもらえたらよかったのにと思うことすらあります。

合わない環境からは逃げてよい

ここまでは主に遺伝要因などの生物学的な要因について述べてきましたが、うつや不安には生物学的な要因と共に環境要因も影響します。もし今いる環境が自分に合っていないと感じたら、「その環境から出る」ことによって病を避けることもできるかもしれません。人間にはときには効果的に「逃げる」ことも重要です。いじめられて辛い思いをしていたら、その学校から転校してもいいし、相手からのリスペクトを感じない不幸せな恋愛関係から身を引いてもいいのです。

逃げた後の対応や人間関係などを考えて、なかなか逃げる勇気が湧いてこないこともちろんあります。逃げようとすると、周囲から「それは逃げだ」というように、意気地のない行為だとしてネガティブに言われることも少なくないでしょう。その言葉が呪いになって逃げられなくなることもあるかもしれません。しかし、どんなにリスクを伴っても自分に悪影響を与えている環境から「出ること」を優先することは、積極的な勇気ある選択だと思うのです。

たとえば、アメリカ社会の中では、場や会話を盛り上げる力や、他人とのコミュニケーションなどのソーシャルな要素が非常に重要視されています。その環境が合う人もいますが、社会不安や対人恐怖が強い人にはとても大変な環境です。私はそのような患者さんを診る際は、「黙々と課題をこなすことで評価されるような違う職種があるんだよ」「アメリカと比べると対人関係が得意か不得意かが評価の対象になりにくい日本の方が合うかもね」などと話すこともあります。今自分がいる環境とは違う評価軸がある、と知るだけでインスパイアされる子どもや大人もいます。

第4章に綴ったように、私自身も、女性医師として自分に合う環境を求めて「アメリカに逃げる」選択をしたのです。

第9章　女性を苦しめる労働環境は男性をも苦しめる

医学部入試の女性差別の本質

マイクロアグレッションとマクロな差別は直線で繋がっています。無意識のジェンダーバイアスの蓄積が具現化しマクロな差別として表れたと感じたのが、日本の医学部入試の女性差別問題でした。

2018年、東京医科大学の入試において、女性受験生が女性であるという理由だけで不利になる点数操作を受けていたことが発覚しました。さらにその後の文科省の調査の結果、順天堂大学、聖マリアンナ医科大学、北里大学が女性や浪人生に対して不当な採点をしていたと報告されました。

大々的な報道がされ、その後入試制度の見直しが議論されましたが、しかし、日本の私立大の医学部入試において女性が不当に不合格にされていたことに、医学生や医師、また受験生たちが驚く様子はほとんどなく、「やはりあの噂は本当だったんだ」という納得の声の方が内部では多かったかもしれません。

私が個人的に驚いたのは入試における女性差別のニュースよりも、ニュースに対する意見の数々でした。「平等に合否を判断したら、女性医師ばかりになってしまうではないか。女性医師が増えてしまったら日本の医療はどうなるんだ」という声の多さに、日本の医学部に在籍していた頃に感じたミソジニーやマイクロアグレッションを思い出しました。

２０２０年のAssociation of American Medical Colleges（アメリカ医科大学協会）の報告によると、２０１９年の時点でアメリカの医師数の約4割が女性で、小児科医に関しては64・３％が女性、産婦人科医は58・９％が女性、私の専門である小児精神科医は54・０％が女性だったそうです。また、２０１９年の医学生に関しては50・５％が女性で、女性が過半数を占めます。２０１７年の調査によると、ＯＥＣＤ加盟国中、ラトビアやエストニアといった東欧諸国で女性医師が74％と最も高い比率であり、調査平均は48％でした。日本は21％とＯＥＣＤ諸国で最低の女性医師の比率でした。

日本の医学部入試の女性差別のニュースに対して、女性医師が増えたら大変だという意見には、「女性医師は出産するから」という理由が一番多く見られましたが、私は異論があります。

私が3度の出産を経験した際、同じ部署で働く医師が私の患者さんの診療を産育休の12週間、分担して担当してくれました。普段から12週間以上診察の間隔が開く患者さんも多いので、私が12週間不在であることは患者さんにほとんど影響はなかったのですが、急患も毎週のように訪れるので、そのような患者さんへの対応を同僚がカバーしてくれました。

また、一つの部署では、私ともう一人の医師の育休が重なったために、その期間だけ医師を一人、臨時に雇ったケースもありました。研究に関しては、任せられる部分を他のスタッフに任せ、それ以外は12週間後に戻った際に再開しました。

日本の医療現場の話を聞くと、12週間という短期間であっても、一人の医師が欠けては診療が持たないというのが現状のようです。一人も医師を欠くことができないという状況は、女性医師の出産によってのみ問題になるわけではありません。そんな体制では医師は病気もできず、家族の病気には対応できず、そして休暇も取れない状況です。事故や病気は予期できるものではなく誰にでも起こりうることですし、そうした事態を防ぐためにも、誰にでも休む時間が必要です。

一人も欠くことができない労働環境というのは、女性だけでなく男性をも苦しめています。出産ばかりを焦点にするのでなく、社会全体で家庭との両立を含めて働き方や考え方を変えていかなければならないと思います。

また、出産が焦点になりがちの女性の労働状況ですが、一生に数回あるかないかの「出産」以上に女性を働きにくくするのは、むしろ終わりのない日々の「育児」です。しかし、出産は女性にしかできませんが、育児であれば男性にもできます。男性にもできる役割を女性だけに押し付ける社会のステレオタイプによって、現実には女性の労働の機会や医学部入学の機会が奪われているのですが、男女共に有償労働と無償労働を同じようにしやすくするシステムの構築こそ、いま必要なのではないでしょうか。

「男並みに働くつもりなら」の「男並み」とは？

以前、日本の医学部教授との会話のなかで、「女性は当直させられないから雇いにくい」という言葉がありましたが、性別によって割り当てられる仕事の責任が変わる医局の仕組みに驚いたのを覚えています。

また、医学部の同級生同士（現在は同期の医師同士）の夫婦でありながら女性だけが「私は育児があるから時短で帰る」という言葉を聞き、「旦那さんには育児はないの？　そして育児をしなくていいとみなされる男性はそんなに長時間労働を強いられるの？」と驚きました。日本の医学界の重鎮の医師が「女性も男並みに働くつもりなら、医師として働いてもいい」と公言したこともありました。この場合「男並み」という言葉は「家事や育児を全てやってくれる妻がいる男性と同じだけの時間、仕事にコミットできる」という意味だと思いますが、このような「男並み」という言葉で縛られてしまうのは女性だけではありません。

日本の職場において育児という無償労働が女性に押しつけられ、その女性が出世コースから外れてしまうだけでなく、男性や独身女性が穴を埋めるために余分の仕事量をこなさなければならない環境であることに問題を感じます。

これは医療に限ったことではなく、テレビ局のディレクターの男性が「職場が子育て中の母親ばかりでみんな早く帰ってしまい、独身男性の自分に仕事が降りかかってくる。逆差別だ」という言葉を口にしたり、独身女性は「土日も無制限に働けるだろう」と暗に思われており、夜遅くや週末も仕事をしなければならない立場に置かれることが多いと聞きます。

それでは、有償労働で息をつく間もない独身者や男性の身体的、精神的負担は相当なものでしょうし、女性にとっては「ここから抜け出るには辞めるか、子どもを持つしかない」という心理が出てくることもあるでしょう。男性としては抜け出せない労働環境において、「女はずるい。女は働くべきではない」あるいは「こんなに辛い労働を担ってるのに、女性が優遇されて、自分の立場を奪っている」と感じ、目につきやすい育児中の女性に不満が向かってしまうこともあるでしょう。

しかし、一歩日本から出てみると、この状況の敵は「育児中の女性」ではないことがわかります。夜も週末も働かなければならない長時間労働体制、容易に転職ができない終身雇用制、生産性ではなく働く時間の長さも評価の対象になる評価体制、生産性に応じた給与が支払われないフレキシビリティのなさ。

このような日本の労働環境の構造が要因であり、そこが変わらない限り、何も本質的に変わりません。環境構造の問題であるにもかかわらず、批判の矛先が「育児中の女性」個人に向きがちで、その結果、女性はワークフォース（労働力）から押し出され、長時間の家事・育児を強いられる一方、男性は長時間の有償労働を余儀なくされて家族と関わる時間を奪われ、だれも得をしない現状が生まれてしまっている気がします。

女性が働きやすい＝女性が育児をしやすい、ではない

「女性が働きやすい」という言葉が「女性が育児をしやすい」と同義に使われていること

の裏には「女性が育児をやるべき」という無意識のロールの押し付けがあることに気付かなければなりません。日本の『男女共同参画白書』によると、共働き家庭で女性が行っている家事・育児の時間は男性の5・5倍だそうです。

国際的に比較すると、アメリカでは1・79倍、スウェーデンでは1・64倍、ノルウェーでは1・70倍と、どの国でも未だに女性の負担の方が多いことが報告されていますが、日本の家事・育児時間の男女差が他国と比べて圧倒的に大きいこともわかります。時短で帰る母親は休んでいるわけではありません。育児は終わりのない無償労働です。

今回のパンデミック禍で、日本女性の自殺者数に顕著な増加がみられました。子どもの学校が休校になってしまった際、仕事を休んで、あるいはリモートで仕事をしながら、家で育児をする役目を担ったのも大半は女性で、介護士が来られない、施設が休業したなどの場合に、家族の介護を担ったのも大半が女性でした。「女性に家のことを任せればいい」と考えてしまう前提が、パンデミック禍において、女性に逃げ場のない責任を押し付けてしまったことが原因なのではないかと思わずにはいられません。

私の子どもの学校も、パンデミック初期に半年以上休校しましたが、夫と一日の担当を半分に分け、朝から昼は私がリモートワークで夫が育児、午後から夜は交代という生活を半年間送り、言葉で表せないほどの大変さでした。この責任を、性別を理由に押し付けられてしまった女性はアメリカでも多く、女性の離職率上昇と収入減が議論されました。国によって程度に違いはあれど、「家庭の責任を女性に押し付ける」社会は、変えていきたいものです。

エンドレスな家事・育児をやり続ける孤独感は相当なものです。忙しければ忙しいほどお互いに負担がかかるので、我が家で夫婦が喧嘩をするときというのは決まってこういった負担のバランスが傾いたときです。そんな時には喧嘩も起こりますが、そのたびにどうすればどちらか一人に大きな負担がかからないようにできるか、またどちらかの希望が犠牲にならないようにできるかを話し合いながら、調整を重ねていける夫との関係に感謝しています。

育児中でも妊娠中でも期待度は変わらない

育児をしながらの仕事は大変ですが、私は職場に本当に恵まれました。私自身が、職場に関して最もありがたいと感じたのが、実は「出産前と後で期待度が変わらなかったこと」でした。妊娠したから、出産したからといって、職場での私の扱いは全く変わりませんでした。医師8年目だった第一子妊娠中に、現在のマサチューセッツ総合病院小児うつ病センターの前身である「小児気分障害早期診断早期介入センター」のセンター長に任命され、また、同年にハーバード大学のインストラクターからアシスタントプロフェッサーに昇進しました。

当時、新しいセンターを設立してセンター長になってほしいと声が掛かった際、私の出産のタイミングがセンターの設立などに支障をきたさせてしまうかもしれないと思い、「私は3か月後に産休に入るのですが」と伝えると、70代の男性の上司2人が声をそろえて「では、早く手続きを進めなきゃね」と私の予想とは違う受け答えをしてくれました。産後も私の生産性は落ちないだろう、多少落ちたとしてもマサチューセッツ総合病院精神科にとってはプラスになると期待してくれているのを感じました。

私がアメリカの職場で育児をしながらでも働きやすいと感じるもう一つのポイントは、「時間ではなく生産性で評価される」点です。職場に何時までいるかではなく、どれだけ患者さんを診ているか、どれだけ研究費を獲得できているか、どれだけ論文を出しているか、という結果で評価されます。もちろんそのような結果を求められるのは厳しい側面もありますが、責任を果たせていれば、時間的な制約は大きくないことが、子どものスケジュールにも合わせた働き方ができている一因です。

育児中の仕事が特別視されないという点で、研修医時代に記憶に残ったエピソードがあります。研修中のローテーションで一般小児科病棟からの精神科コンサルテーションを4人で担当する期間がありましたが、それぞれ月曜日から木曜日の中の1日は午後はコンサルテーションを受けなくていいという決まりがありました。

4人の研修医で自分は月曜日から木曜日のどの日を半日勤務にするか割り当てなければならなかったとき、3児の母だった指導医が、「各曜日を希望する際、それが『子どものサッカーの試合があるから』という理由でも『サイクリングのクラスに行きたいから』という理由でも、どちらが優先されるべきということはない。既婚でも、独身でも、育児中でも、平等に仕事の責任があるし、平等に休む日を選ぶ権利がある」と言いました。4人の研修医で話し合った結果、幸い円満に決まったのですが、このように誰でも同じ責任と同じ休む権利が与えられることは、新鮮でした。

同じように、私の研修医の同期には、交通事故によって下半身不随になってしまい、車椅子で生活する医師がいました（ちなみに、彼女も3児の母でした）。もちろん、彼女が必要のない苦痛を感じないように他の研修医は協力しましたし、他の研修医と同じ教育が受けられるようにと、他病院への移動などの際は車椅子対応のシャトルバスを運行するように指導医が病院に働きかけることもありました。しかし彼女も、脚が使える私や他の研修医と、最終的には同じ数の当直をこなし、同じ数の患者を診る責任を果たしました。

妊娠中の同僚も同じでした。同期の女性医師が妊娠高血圧症候群で入院が必要になった際は、もちろん残りの研修医で彼女の当直シフトをカバーしましたが、ほとんどの研修医は妊娠中も大きなお腹で他の研修医と同じだけの当直数をこなしました。なるべく妊娠初期と後期に当直が回ってこないように、妊娠中期に多めに当直をするようなスケジュールを立てる医師もいましたし、早産になった医師は、短い育休から戻ってきてから、産育休中に当直をカバーしてくれた同期の医師の当直を交代してやった場合もありました。

研修医時代は本当に大変な仕事量だったので、育児をしながら研修を乗り切った友人や、病気や身体障害がありながらやり遂げた友人には尊敬の念でいっぱいです。もちろん、育児や障害が理由でできないこともあるかもしれませんし、その場合は配慮が必要です。しかし、彼ら、彼女らの活躍を見ていると、「女性は当直できないから」「女性は育児があるから時短で」といった画一的な「配慮」がされている日本の労働環境について、本当にこれは「配慮」なのだろうかと思ってしまうのです。

「仕事」の現場で育児の現実を見せてもいい

私の所属するマサチューセッツ総合病院の小児精神科の全体会議で印象的な発言がありました。「我々は皆、多面的な人生の要素を抱えながら仕事の顔を持っているはずなのに、一面的な仕事の顔しか職場では出してはならないという暗黙のプレッシャーがあった時代もあった。しかし、今は皆に色んな顔を見せてほしい。例えば、『今日は子どもの歯医者さんの予約があるので昼に帰ります』と遠慮なく言って、みんなでそれをcelebrate（良いこととして祝福するように）したい」と科としての方針が発表されたのです。

実際、私の研修医時代には指導医が「今日は子どもの習い事だから3時以降は電話で対応するね。躊躇せずに何かあったら電話してね」と何もためらうことなく発言する姿を見ることができました。またアメリカでは医師に限らず、勤務先のオフィスなどにも家族の写真や趣味のアイテムがよく置かれていて、患者さんと医師の間でも、あるいはクライアントと弁護士や税理士などの間でも頻繁に個人的な会話が生まれ、「仕事」と他の世界は分かれたものではないと思わせられます。メディアの中で芸能人、政治家、アスリートなどの有名人が頻繁に家族の話をしたり子どもたちの写真をシェアしたりすることにも、そういった認識が表れている気がします。

私も3人も子どもができてみると、想定外のことが予想以上に頻繁に起こります。しかもどんなに想定外のカーブボールが飛んできても、親には「育児をしない選択」はないのです。私自身、悪天候が原因で学校がいつもより早く終わってしまい、子どもを迎えに行った帰りの車中から3人の子どもをバックに学会のリモート発表をしたこともありますし、リモート学会でのディスカッション中にカメラをオフにし、赤ちゃんのオムツを替えながら発言したこともありました。

そのたびに後輩の医師からは、「そういう姿を見せてくれてありがとう」という言葉をかけられることが多いのですが、私の上司が見せてくれたように、人間としての多面性を見せながら互いに祝福できるような環境づくりに貢献できればと願っています。

日本ではこういった人間の多面性を、職場ではなかなか見せにくいのではないかと感じます。もちろん、どんな情報をシェアしたいかしたくないかは家族ごと、一人ひとりの選択ですが、一般的に「仕事」の場で育児の現実を見せてはいけない、あるいは見えにくい状況というのは、実は「見えない」分だけ多くの人を苦しめる環境なのではないでしょうか。

例えば私が「こびナビ」の一員として、アメリカから日本向けのワクチン啓発のライブ配信に参加中、「ママ！　ママ！　ママー！」という息子の声が入ってしまうことが度々ありました。その場では「ちょっと待ってね」と子どもにお願いし、自分の発言が終われば、他の人が発言している間はマイクをオフにして、子どもたちに対応したときもありました。ほとんどの方が温かい目で見てくれましたが、「ママ！」と呼ばれながら子どもを待たせていることに関して、「ネグレクト」「育児放棄」と言われることも頻繁にありました。

育児を妻に任せる男性が「育児放棄」という言葉をかけられることがどれだけあるでしょうか。「していない」見えないことよりも、見えることの方が、その不足が見える分だけ叩かれるのだと思いますが、育児をしながら仕事をこなす母親はこのような言葉をかけられがちで、なぜこうした不条理を母親が背負わなければならないのだろうと思いました。

結婚や出産に関して「私事ですが」と前置きをしてから報告する習慣のある日本ですが、私は人間として当然の多面性を、もっと様々な場で見せてもいいのではないかと感じます。そのことが、周りの人たちの肩の力をもふっと抜かせてくれると思うのです。

上司からの言葉「遅くてもいいから止まらないこと」

どんなに恵まれた職場であっても、子どもが生まれてからの仕事は大変です。私自身も、特に子どもを保育園に預け始めた当初、子どもが風邪をひき続けて保育園に行けずに、夫と交互に仕事を休むようなことが度々ありました。そんなときは優先順位をつけて必要な仕事をこなし、そのうち落ち着いたら巻き返そうという心持ちでいましたが、臨床で患者さんの診察をこなすので精一杯で論文を書くのが遅れたりと、チームに迷惑をかけてしまったと思うことも未だにあります。

長男が生まれて半年ほど経った時期に、「論文の完成が遅れてしまって申し訳ないと思っている」と70代の白人男性の上司に伝えたことがありました。その上司からかけてもらった言葉が今も忘れられません。「『ゆっくりでもいいから、馬から降りないこと』が一番大事だよ。今が大変でも、とにかく止まらないこと。止まってしまうと再発進は大変だけど、今はどんなに遅いペースでもいいから、続けていれば、必ずその努力の蓄積は実る」と思いがけない言葉が返ってきたのです。

女性が「馬から降り」、経済力や生き甲斐を失う機会は人生の中で何度もあります。結婚を機に、出産を機に、夫の転勤を機に、親の介護を機に……。もちろん、それぞれの機会は長い人生のなかで、家族のためにも自分のためにもかけがえのない意味を持つに違いありません。また逆に、男性には離職の機会がなかなか巡ってこずに、家庭を養う責任を背負い続けなければならないといった不平等な負担もあるでしょう。

あるいは、男性であってもケアの担い手である人もいるでしょう。でもどんな立場のどんな人であっても、生き甲斐を感じている仕事なのであれば、止まらずに働き続けられるような社会であってほしいと願うのです。スピードを上げて走る必要がある時期もありますが、私は上司のこの言葉を胸に、ペースのアップダウンがあっても「止まらないこと」を心がけています。

リーダーシップを取る女性医師として

私が女性医師として３人の子どもを育てながらハーバード大学医学部や附属病院でリーダーシップを取る立場にあることを語ると、日本人の方からは「きっと住み込みのお手伝いさんがいるはずだ」という憶測をされることがありますが、我が家にはそのような人はいません。また近くに親戚もいないので、夫と私だけで育児と仕事を両立させています。その憶測からも日本では「そうでもしないと女性は働けない」状況なのだという悲痛な思いがヒシヒシと伝わります。

実際ヘルプなしで夫と共に家族を維持するのは本当に大変で、ひいひい言いながらの生活ですが、それでも私のような生き方が可能なのは私個人の頑張りよりも、この章で紹介したような職場のシステムと意識、そして夫が家事・育児を共にすることが当然という男女の別のない役割分担の認識のおかげだと感じています。

　だからこそ、私はリーダーとしてその意識や認識を更に前進させなければと使命感を持っています。私の元で働く医師や研究者、サポートスタッフの誰もが、ジェンダーや人種や性的指向や、子どもがいるかどうかに関係なく自己実現できるように指導し、彼らの次のステップに繋がる機会と責任を与えるように心掛けています。そして、次世代のリーダーたちには、女性だから、男性だから、あるいはノンバイナリーの性自認だからと区別されることなく自然なものとして捉えられるようになってほしいのです。

　私は、私よりも遥かに苦労をしたであろう、多くの先輩の女性医師や女性のリーダーの存在にエンカレッジされてきました。同じように、私が経験した抑圧について言葉にすることで、これからの女子医学生をはじめ、別の形で社会からの抑圧を感じている男性や各種のマイノリティの人たちに、「社会からの無言の期待や固定観念を裏切ってもいい」と感じてもらえたらと願っています。こうした小さな問いかけや世代をまたいだエールの積み重ねによって、一人ひとりの肩の荷がおりて、社会全体の大きな進歩に繋がると信じています。

第10章　「母」への眼差し、女性の身体の自己決定権

母親は何を選択しても批判される

ワクチン啓発の話の際、母親は家族のための判断をする責任を背負わされながら、その判断をするための情報やサポートになかなかたどり着けず、さらに母親はどんな判断をしたとしてもなぜか責められてしまう対象であるとプロローグに綴りましたが、このようなマイクロアグレッションには「マムシェイミング（Mom Shaming、母親に恥を感じさせること）」という名前が付いています。

「陣痛を感じてこそ子どもに愛情を感じる」などと言われることもあれば、麻酔を使わない自然分娩を選択した際は「現代技術を使わないなんて！」と批判されることもある。「母乳をあげないと子どもの発達に支障が出る」と言われたと思ったら、逆に「まだ母乳あげてるの？」と批判されたり、母親が仕事をしていることで「そんな小さいときから他

った ら、逆に仕事をしていないと、専門性がないことに罪悪感を覚えさせられ、「保育園に行かせないと社会性が育たないいんじゃない」と言われることもある。また、母親にならない選択をした人、あるいは事情があって子どもがいない人は、事情を理解されないまま、まるで不完全体のように扱われることもあります。

マイクロアグレッションとマクロな差別は直線で繫がっているとこれまでの章で書きましたが、母親になるという選択や母親としての選択が女性個人に託されず、どんな選択をしても多くの人からの批判の対象になるマムシェイミングというマイクロアグレッションは、まさに女性の身体の自己決定権の議論と直線で繫がっていると感じます。

とりわけパンデミックの中では、母親になる人たち、そして母親である女性たちの責任を問われる場面が多く、マイクロアグレッションの負荷がいつも以上に重くのしかかったのではないかと考えています。母親たちが置かれる様々な立場、向けられがちな言葉について、メンタルヘルスの観点からも、そして広く医学的な観点からも見過ごすことはできません。

アメリカで奪われた人工妊娠中絶の権利

2022年6月、約50年間アメリカ全土で人工妊娠中絶の権利を守っていた「ロー対ウェイド」判決が覆され、アメリカの約半数の州で人工妊娠中絶の選択の権利が奪われてしまいました。

今回、「人の命は受精卵の時点で発生する」と考え、「中絶は殺人」と捉えるキリスト教原理主義を支持する最高裁判事の投票によって中絶を認めた権利が剥奪されてしまいましたが、こういった判事が任命されるようキリスト教原理主義のグループは20年ほど前から水面下で政治的な画策を続けてきました。アメリカ市民の約6割は中絶は合法であるべきと主張しているにもかかわらず、国民の投票で選ばれた訳でもない5人の最高裁判事の思想信条に基づいて、そのような判断を可能にしてしまった司法をめぐる体制の問題にも、恐怖と不安を感じざるをえません。

実際中絶が違法になった今、すでにさまざまな問題が顕在化しつつあります。例えばオハイオ州でレイプ被害者の10歳の女の子が妊娠6週と判明した際にも、州内では中絶が認められず、処置を受けるために隣接するインディアナ州に行かざるをえませんでした。

テキサス州で問題になったまた別のケースは、子宮外妊娠をした女性が、中絶をしない限り死んでしまう状況下にもかかわらず、医師が中絶の処置をすることが「犯罪」とみなされないかどうか、病院の弁護士の判断を仰ぎ、犯罪にならないと確証を得られるまで9時間以上も中絶手技が遅れたというものでした。妊娠中は子宮外妊娠以外にも、羊水の感染、敗血症など、妊娠を終えない限り母親が死んでしまう状況が生じることがあります。

一刻を争う生命危機の状況下で、「犯罪」を避けるために弁護士との協議やペーパーワークが優先され、救命措置が遅れてしまいました。このような異常な状況が続く限り、本来なら予防できたはずの母体死が発生してしまうことは避けられないでしょう。

テキサス州で妊娠6週以降の中絶が実質的に禁止されてから、テキサス州に隣接する地域の人工妊娠中絶件数は約8倍になったと言われています。中絶をするためにテキサス州外に移動した人々の数だと推測されます。

しかし、公共交通機関の少ないアメリカでは、州外へ移動するのは容易ではなく、隣の州に行くには10時間以上も車で移動しなければならないのは決して稀なケースではありません。学校を休むことができなかったら、まだ車を運転できない年齢だったら、家族をはじめ周りの助けを借りられない状況だったら……これまでも中絶が容易にできない環境にいた女性たちのなかには、子宮に異物を入れる、わざと転倒するなど、危険な方法で自己流の中絶を図った例も少なくありません。

危険な中絶法を実行に移したことで入院が必要になる女性が、世界では毎年７００万人もいると報告されています。そのうち4・7～13％の女性たちは、その結果命を落としてしまうのです。安全な中絶が禁止された州では、今後このようなケースも発生すると予想されます。

さらに中絶を拒否された女性たちは、メンタルヘルスの面でも危機的な状況に置かれます。望まぬ妊娠の背景には、家庭内暴力があるケースも少なくありません。中絶できないことで、暴力の加害者との生活から抜け出せなくなり、妊娠した女性も、生まれた子どもも双方ともに虐待の対象になってしまうというシナリオもよくあるものです。

それにもかかわらず、アメリカの半分にあたる地域で女性が中絶を選択する権利が奪われてしまいました。自分の身体への権利は与えられないのに、妊娠や子どもを産んだ後の責任は女性の肩に重くのしかかり、ときには命まで奪われてしまう状況は、黙って見ていることはできません。

日本の女性の身体の自己決定権は守られているか？

中絶の権利が政治の争点になること自体、歪んだ状況で、日本では配偶者の同意が必要という制約がありながらも人工妊娠中絶の選択肢が奪われることはないと信じています。しかし、それで女性の身体の自己決定権は守られているのかというと、私は「ＹＥＳ」とは言えません。中絶が禁止されて女性の健康が明らかに侵されているアメリカとは対照的に、日本では言語化されない形でジワジワと女性の身体への自己決定権が奪われているところがあると思うのです。

例えば、日本では「性交同意年齢」が13歳と極めて低いこと、同意教育自体が不足しており、痴漢などの性犯罪が頻繁に発生していること。また経口避妊薬（ピル）や子宮内黄体ホルモン放出システムなどの女性主体の避妊法への偏見がある現状を考えると、選択的な中絶以前のセーフセックスのための教育と政策が行き渡ることが課題と言えます。

１９９９年に他の先進国に40年以上遅れて日本で承認されたピルは、未だに日本では処方率が２％以下です。ピルの処方は避妊のためだけではありません。生理痛が酷いから、生理前の抑うつが辛いから、といった理由で小児科から処方されることも多いのです。

日本において女性の生殖器に関わることはアンタッチャブルにされてしまうことが多いためか、生理に関してでも介入してはいけないと感じる方が多いようですし、介入法があるという事実も知識として広まっておらず、「生理は辛くても我慢するのが当然」という暗黙の認識があると感じます。実は耐える必要もなく、痛みや不快感を緩和や軽減できる選択肢があるにもかかわらず、その選択肢を提示されないことが多いようです。

　妊娠についても、「お腹を痛めた子だから愛が生まれる」「陣痛を耐えられない人はメンタルに問題がある」などという、時にスピリチュアルで非科学的な意見を未だに頻繁に耳にしますが、世界的には麻酔を利用して痛みをコントロールしながらの分娩が一般的で、その選択肢が妊婦さんに提示されます。

　陣痛が進んでから麻酔の鎮痛作用を借りた分娩で子どもを産んでいる私自身もまた、「妊娠は辛いものだから我慢するほかない」という認識を持っていたところがありました。1回目の妊娠時は薬を飲んではいけないものだと誤認しており、2回目の妊娠後期に、産科検診中に「夜中腰の痛みなどで起きてしまい眠れないけど仕方ないですよね」と話したら、先生に「妊娠中に飲める入眠剤もありますよ」と解決策があったことを提示され、「今まで何を我慢していたのだろう」と自分の誤った思い込みに驚かされました。

　3回目の妊娠では悪阻《つわり》が辛く、それを先生に話すと、「悪阻のための薬もあるよ」と教えてもらい、どうして3回目の妊娠までその選択肢を知らないでいたのかとまた驚きました。

妊娠中でも安全に痛みやマイナートラブル（妊娠に伴う不快な症状）に介入する方法はあり（それでも妊娠は辛いし、大変なのですが）、妊娠の身体的負担を多少軽減することができると知りました。もし社会の中で「妊娠中は辛いことも我慢しなきゃいけない」といった先入観が浸透していなかったら、もっと早くこうした介入法に出会えたのではないかと思います。

「立ち会い」ではなくパートナーと共にする出産

ＷＨＯ（世界保健機関）はお産の際に妊婦さんを支えるバース・パートナー（夫、妻、友人、親、ドゥーラなど）の同伴を強く推奨しています。感染状況が深刻だったコロナ禍のニューヨークやボストンでも、お産にはバース・パートナーが付き添う選択肢が与えられました。

私が出産したボストンの病院では、パートナーがいる人は出産までの流れの説明を受ける出産クラスもパートナーと一緒に受講するのが一般的で、実際私が出産で入院した際には夫用のベッドもあり、食事も2人分提供されました。お産は妊婦さん一人だけでなく、パートナーとともに経験するものとして自然に捉えられているのです。

特に長男のときは難産だったので、夫が手を握ってくれていなかったら耐えられない痛みと孤独だったと思いますし、疲弊しきっていた私の代わりに夫が分娩スタッフに様々な報告やお願いをしてくれたこともあり、傍にいてくれることを心強く感じました。また、夫が実際自分の目で出産がどれだけ身体的に負担のかかる出来事であるかを見たことで、産後に必要なサポートに関してもより深く理解してくれたのではないかと思います。

日本ではパートナーが付き添う場合は「立ち会い出産」という特別な用語が使われる点、お産はお母さんだけが経験するもの、男性はあくまで補助的に「立ち会う」ものという認識なのだろうと思います。もちろんカップルの関係性においては、立ち会いを断りたいという妊婦さんもいるかもしれません。できる限りのサポートと知識が共有された上でその選択権が「妊婦さん個人」にあるべきで、「立ち会う」という言葉に代わる別の言葉が生まれたら、とも思うのです。

女性を苦しめるデマと妊婦の自己決定権

新型コロナワクチンにまつわるデマで、最も拡散されたものの一つが「ワクチン接種によって女性は不妊になる」というものでした。ワクチン接種後の妊孕《にんよう》性は医学的に細かく検証されていますが、新型コロナワクチンによって不妊になるという研究結果は一切ありません。

実際、流産や不妊というのは非常に頻度が高い事象であり、ほとんどの場合、当事者の女性が何かをしたから、あるいはしなかったからといって起こることではありません。それにもかかわらず、流産や不妊を経験した方には、自分のせいなのではないかと自責の念を抱えてしまう女性が多く、また周囲からも当事者である女性のせいなのではないかと偏見を持って語られることが少なくありません。

流産と不妊という事象の頻度の高さと女性の責任感を突いた悪質なデマだと憤《いきどお》りを感じますが、このようなデマが蔓延してしまう背景には、社会の中で、家族や家族計画に関して不必要に重い責任が当事者の女性の肩に乗せられ、流産や不妊に関しての科学的な情報が行き渡っていないという実態、そして子どもを作るプロセスに関して女性が理不尽に責められたり、批判されることが多いという、まさにマムシェイミングの現実があると思います。

２０２１年8月には、米国ＣＤＣに少し遅れて日本産科婦人科学会もまた、妊婦に対してのワクチンは妊娠のどの段階であっても推奨すると表明しましたが、その少し前までは、「器官形成期（妊娠12週まで）は、偶発的な胎児異常の発生との識別に関する混乱を招く恐れがあるため、ワクチン接種を避ける」という提言を出していました。つまり、ワクチンを打っていなくても起こったであろう流産や胎児異常が、間違ってワクチンのせいだと混同してとられないために、12週までのワクチン接種を避けるようにと書かれていたのです。妊婦さん個人が、「ワクチンのせいで流産が起きたと思うのは嫌なので接種はしない」と判断することには非常に共感できます。しかし、この判断は産婦人科医や産科婦人科学会という専門家ではなく、「妊婦さん自身」がすべきだと思うのです。逆に専門家の役割というのは、女性の「代わり」に判断をするのではなく、妊婦さんやそのご家族が自分たちに合った責任ある判断ができるように、助けとなる科学情報を提供することだったと思います。

当時の産科婦人科学会が妊婦の自己決定権を尊重するのではなく、個々人の判断を肩代わりするかのような消極的な姿勢を示した背景には、今まで偶発的な流産に対して理不尽な責任を負わされたり、訴訟を起こされてしまった日本の産婦人科医たちの苦難があったのではないかと推測できますし、国内の産婦人科医を守る責任のある産科婦人科学会の苦労もしのばれます。このように専門家が科学的提言をしにくい雰囲気ができてしまった環境というのは、広く社会の問題でもあると思いました。

粉ミルクでも母乳でも

アメリカで２０２２年前半、粉ミルク不足が続きました。背景には粉ミルクのシェア１

位である医薬品大手アボット・ラボラトリーズが起こした細菌感染症問題があります。同社の粉ミルクを飲んだ赤ちゃん4名が感染、うち2名が死亡したことで、同社が粉ミルク製造を中止、製品を回収したのです。深刻な粉ミルク不足に陥る中で、「粉ミルクがないなら、母乳をあげればいいじゃない」といったマリー・アントワネットを彷彿とさせるコメントも見受けられました。

しかし、子育て経験者ならわかるように、現在粉ミルクをあげている家庭で、いきなり母乳が思うように出てくるような仕組みに女性の身体はできていません。母乳を乳児にあげることは当たり前に思われるかもしれませんが、人によっては身体的にも精神的にも大きな負荷のかかることです。私自身は9か月の妊娠期間中よりも、壮絶な痛みと闘った難産だった出産よりも、産後の授乳による精神的、身体的ダメージを辛く感じました。

母乳を止めて粉ミルクに切り替えた途端、急に視界が明るく感じられたのをよく覚えています。しかし、授乳を止める決断に行きつくまでに自分自身の中に湧き上がる罪悪感とどれだけ葛藤したかは言葉にできません。おそらく太古の人類は授乳を止めては子孫を残せなかったために、進化の過程で産後のホルモンが直接脳機能に作用する仕組みができて、私の感情を生物学的に操っていたのではないかと思っていますが、それに加えて「粉ミルクよりも母乳をあげた方がいい」という社会からのプレッシャーも影響しました。

授乳を止める決意をした後も「真剣に医療機関に相談していないのではないか」「本当にできることはすべてやり尽くしたのか」という外野からの声を聞くたびに、「母乳育児に自分は失敗したんだ」と烙印《らくいん》を押されるような思いでした。

しかし、その長男が7歳になった今、この7年間の彼の成長を思うと、あの時に与えたのが母乳でも粉ミルクでも、息子はいまと同じ息子に育っていただろうと自信を持って言えます。だからこそ、母乳育児に執着させるようなプレッシャーを感じさせないでほしかったと思うのです。

出産後も母親たちを悩ませるのは授乳のプレッシャーばかりではありません。私の近しい友人は、緊急帝王切開で生まれた子どものアレルギーをケアしながら育てているのですが、帝王切開で生まれた子どもはアレルギーになるリスクが高いという記述を育児本で読んで、帝王切開で産んだことに罪悪感を抱いたと話してくれました。彼女に「緊急帝王切開をしていなければ、子どもが生まれていなかったかもしれない、あるいは母親が助からなかったかもしれない。母体も無事で子どもを健康に産むことができたのなら、それがその場での一番いい選択だったから誇りをもっていいんだよ！」と言葉をかけたことがありました。

どんな出産であっても、母乳でも粉ミルクであっても母親は誰もが本当によく頑張って産み、育てているのです。罪悪感をもたせてしまうのではなく、お疲れ様という言葉を送れる社会であってほしいと願います。

産後に向けられるルッキズム

さらに産後の女性たちを悩ませるのが体型などの「見た目」です。世間では妊娠出産を経た直後の身体であっても、太ることは悪であり、馬鹿にしていいという認識がまだ根強く残っています。

「見た目」というのは、その人の能力や性格や実績とは全く関係ないものでありながら、日常生活で他人からコメントされる機会が多いものです。メディアでの表象にしても、なぜか太ったキャラクターや型通りの美しさでないとされるキャラクターは意地悪な役だったり、馬鹿だったり、悪役にアサインされることが多いのです。どんな見た目でも人間としてリスペクトされるべきなのに、太った人や綺麗でない人は馬鹿にしていいという認識が社会の中で共有されているからこそ、このような表象が生まれ、容姿の面で誰かを蔑《さげす》んでもいいという認識が無意識のうちに育まれてしまうものです。

例えば、私自身、長男を産んだ数週間後に、産後の痛み、授乳の苦しみと今まで経験したことのない身体的・精神的な不調の中で、他人に産前着ていたコートのファスナーが閉まらないことを笑われたり、体重を落とすために炭水化物の摂取を控えるように言われたとき、人生で初めて「女に生まれたくなかった」と思ったのを覚えています。

様々な身体的な負荷を経験しながら、ひとりの人間を送り出したばかりのその自然な身体の変化をどうして「直さなければ」と思う必要があるのでしょうか？　なぜ大変な変化を遂げた身体の回復よりも産後の容姿の方がコメントの対象になるのでしょうか？　産後の変化がどのようなものであっても、ひとりの人間を送り出すという偉業を成し遂げた身体を「素晴らしい！」と祝うことが当たり前であってほしいと思います。様々な負荷を経験しながらの自然な身体の変化を「笑っていい」理由などありません。

もちろん妊産婦さんへの栄養教育や身体的活動を上げる対策は健康面からも重要ですし、肥満は生活習慣病にとどまらず、命に関わる問題です。肥満大国アメリカのコロナ死の多さでも問題になったように、肥満は新型コロナ感染症の重症化リスクでもあるので、軽視できるものではないとはいえ、健康な体型の範囲はそんなに狭くありません。肥満が問題である一方で、痩せていることもまたリスクになり得ます。実際に日本では、妊婦さんたちの痩せすぎが赤ちゃんの低体重につながることもあるため、妊娠中の体重増加の目安となる数値が上方に修正されました。

近年アメリカでは“Beauty comes in all shapes, sizes and colors.”（色んな形、サイズ、肌の色の美しさがある）というスローガンと共に、洋服ブランドのカタログやファッション誌でも様々な体型のモデルを見るようになりました。店頭に並ぶマネキンも細めから太めまで、筋肉質な体型、また車椅子に乗ったものなどのバリエーションが見られます。この言葉が生まれてからというもの、美の価値観も多様になりつつあり、また、社会にも新しい意識が芽生えつつあることを実感しています。

私の勤めるマサチューセッツ総合病院の職員は毎年ダイバーシティに関する研修を受けなければならないのですが、人種やLGBTQ+などに加えて「体型」のダイバーシティについての講義もありました。「太めの患者さんが診察に来たときに体型にまつわる固定観念によって、提案する治療や医療者としての対応が変わることはないだろうか」という質問を投げかけられ、ハッとさせられました。

容姿や体型がどうであれ、誰でも人間としてリスペクトされるべきなのです。

身体の自己決定権獲得への声

妊娠出産を経験する中で、女性が無縁ではいられない痛みや不快感、身体の変化への戸惑い、他者や社会からかけられるプレッシャーなどの言語化はまだまだ不十分で、耳を傾けてほしいと思うことが少なくありません。しかし、それは産む女性だけでなく、産めない状況にいる女性、また産まない選択をする女性についても同じです。産めない、あるいは産まない背景にも、さまざまな女性たちの生き方と思いがあり、それぞれの身体に根差す経験があるのだと思います。

だからこそ、生殖に関わる女性の身体は時々の政治にコントロールされるものではなく、積み重ねられた科学的知見をベースに、何より個々人の尊厳が守られることを大事にしなければなりません。女性たちの健康を守るための選択を女性自身が主体的に決定できるようにするのが理想ではないでしょうか。

女性の命を守るためにも、アメリカの中絶禁止法は早急に覆されなければなりません。しかし、中絶が違法となる法律が施行される残酷な状況のアメリカにいても一つ希望を感じるのは、国の最高裁の判決を受け、即座に多くの大学や大企業が強い異議を公然と唱えたことでした。ディズニー、マイクロソフト、JPモルガンなどの企業は、自社の社員で中絶が必要な人がいたら、中絶の処置を安全に受けられるように州外への移動費も会社がカバーすると発表しました。

さらに、大規模な反対デモンストレーションが各地で起きていることにも表れているように、自分たちの声を上げて、政治的決定を変えられるように直接動いている人たちの存在が見えることにも希望を感じます。保守派州であるカンザス州では、実際そういった州民のアドボカシーによって、住民投票の結果、中絶権が守られることになりました。

２０１６年の民主党大統領候補で元国務長官のヒラリー・クリントンが“We cannot and will not leave our granddaughters a world in which they have fewer rights and opportunities than we did.”（孫娘の世代に、我々より手にできる権利や機会が少なくなるような世の中を残すことはできない）と提言するように、世界のどこにいても、このような力強い声の一つ一つがムーブメントとなり、長期的には女性の権利、中絶の権利を勝ち取り、必ずや守っていくのだと確信しています。

日本でも、女性たちに向けられるマイクロアグレッションへの関心が高まり、母であること、あるいは母でないことの社会的なプレッシャーが少しでも和らぎ、女性たちの身体の自己決定権が本当の意味で守られる変化が起こることを願っています。

エピローグ　ラジカル・アクセプタンス
ソーシャルジャスティスを育てるために

簡単に色分けなどできないけれども、社会のあちらこちらにある「分断」を諦めずに乗り越えるため、どうやってソーシャルジャスティスの芽を育てていったらいいのかということを、脳科学や心理学の知見をまじえ、一人の小児精神科医として、子育てをする親の立場からも考えてきました。とても個人的で小さなことに思われても、絶えず変化の種をまき、時間をかけて生活の中で水やりをすることが、どこか見えないところで花を咲かせ、社会の変化ともつながっていると信じています。

最後に、精神科医として、分断を超えるために心の観点から大切だと思う「ラジカル・アクセプタンス」について再度紹介させてください。

羽生結弦選手に学ぶ「ラジカル・アクセプタンス」

「ラジカル・アクセプタンス」とは心理学用語で、自分のコントロール下ではない場面で起きたことを、良い／悪いの評価なしに「それはもう起きたこと」とアクセプト（受容）して前に進むことを意味します。

　今はよく自己責任の時代と言われるように、良い結果も悪い結果もすべて自分の努力と因果関係で結びついたものと思いがちですが、自分の努力の届かない範囲の出来事も私たちには降りかかります。そうした不運のようなものが結果を左右することも少なくないでしょう。私は元々フィギュアスケートをやっていたこともあり、大のフィギュアスケートファンなのですが、羽生結弦選手の不運に際しての美しい演技に、このラジカル・アクセプタンスを見ました。

　2022年北京冬季五輪男子シングルショートプログラム、3大会連続金メダルをねらう羽生結弦選手が、冒頭の4回転サルコウで他の選手がジャンプをした際にできた氷の溝にスケートの刃がはまってしまい、踏み切れなかった瞬間を覚えている人も多いと思います。ボストンで深夜ひとり、画面に釘付けだった私は、家族が眠っているにもかかわらず、「あっ！」と声を出してしまいました。同じ演技を見ながら、世界中のフィギュアファンが発した声が重なって聞こえたような気がしました。

しかし、サルコウ着氷後、羽生選手は残りのプログラムを完璧に滑り切ったのです。これ以上の美しいジャンプはないだろうという質、スピンやステップでも「これが羽生結弦だ」という王者の存在感を目の当たりにして、彼を拝みたくなるような思いでした。

氷の溝にスケートの刃がはまってしまうことは“hit a rut”と言って、練習中にもたまに見られる光景で、整氷を頻繁にする以外になかなか対処法がなく、起きてしまったら残念ながら諦めるほかない状況です。しかし、「たまにあること」と言っても羽生選手の場合、3大会連続金メダルがかかったオリンピックの舞台ですから、踏み切りがうまくいかなかった瞬間、「あそこで1センチずれていれば」「氷の質が違えば」と「たられば」を考えたり、「こんなはずじゃない」と現実を否定する衝動もあったかもしれません。でも、彼は淡々と自分ができることを完璧にこなして、残りの要素を最高の出来栄えと芸術性で滑り切ったのです。

不運は誰にでも起こり得るもので、悲しい感情、悔しい感情が浮かぶのは当然です。その悲しさ、あるいは悔しさも受け止めながら、自分のコントロール下にはないことを、良い／悪いの評価なしに「すでに起きたこと」と受容したことで、羽生選手は、自分のコントロール下にあることに集中してやり切ることができたのではないでしょうか。彼ができることをできる限りやって見せたあのショートプログラムは、「失敗」ではなく凄まじいほどの「成功」だと感じました。

「アクセプトする」とは、許容することでも、諦めることでもない

「アクセプトすること」は許容することでも、諦めることでも、忘れることでも、その事実に付随する感情を抑制することでもありません。ただ起きた出来事に関して、良い／悪いという評価を与えずに「起きたことは変えられない」という事実を事実として認識し、受容することです。

人間というのは、自分のコントロールが利かない状況に陥った場合、つい、その原因を延々と探し続けたり、誰か責める相手を探したりしがちです。「そんなはずはない」と事実を否定してみることもあれば、「こうしていれば防げたはずだ」と過去を変えたいと望むこともあります。しかし、事実を否定したり、過去の事実を変えたいと思う気持ちは精神的にとても消耗するもので、過去・事実を変えたいという望みが強いほど大きな抑うつと不安を伴うこともあります。その結果、それとは直接関係のないはずの自分自身の感情や行動をもコントロールできなくなったり、自分の考えに混乱を引き起こすこともあります。

例えば、誰かにいじめられたことを受容すると、まるで受けたいじめを許すことになるように思われるかもしれません。しかし、これは違います。「いじめられている」という事実をしっかり受容し、認識することで、いじめられている状況を変えるために、自分を守るために何ができるか、という思考に転換していけるかもしれません。それによって、カウンセリングを受けたり、親や先生に相談するきっかけになることもあるでしょう。再度言いますが、「受容」は許容することでも、諦めることでもないのです。

また、愛する人が亡くなった際、その死を受容することで、大切な人がいない状態が現実になってしまうのが怖いという声を聞くこともあります。グリーフケアには正しいやり方があるわけではなく個々に合ったプロセスを辿る必要があるので、確かに「亡くなってしまったとは思えない」という思いを胸に、事実から目をそむけ、死を受容するまでにある程度の時間を要する人もいます。

しかし、時間をかけて「亡くなった」という事実を受け入れることによって、今まで表に出せなかった悲しみを言葉にでき、そこから大切な人を亡くしたときに湧き起こる様々な心の反応に向き合うことができるようになることも少なくありません。悲しみや怒りや絶望的な気持ちをどのようにケアしていくか、考えられるようになることもあるのです。

良い／悪いの評価なしに事実を受け止めることは、悲しい、辛い、嬉しいという感情を押し殺すようにも思われるかもしれませんが、そうではなく、事実から逃避することに使っていたエネルギーを、本来感じて当然の悲しみや怒りに向けることを可能にしてくれるのです。

パンデミックというトラウマ

翻って考えてみると、パンデミックというのは世界全体が被った大きなトラウマのようなものかもしれません。誰にとっても初めての事態で、自分のコントロール下に置けるようなものではなく、ワクチン開発と接種を経て当初よりは安心して生活を送れるようになったとはいえ、その期間は数年単位と長期化しました。

この過程で大小さまざまにたくさんのことを諦めなければならなかった人も多いと思います。思い描いたはずの学生生活を送れなかったり、結婚や妊娠を先送りしたり、コロナで大切な人を亡くしたり、亡くした大切な人をひっそりと見送らなければならなかった人もいることでしょう。プロローグでも述べたように、学びや遊びを制限されてメンタルヘルスの問題や心身の不調を抱えている子どもたちも少なくないと感じています。

心理的なトラウマを経験した後、人間の心身は、心と身体の乖離や、押し込めた感情が原因となった身体症状や、怒りなどの他のネガティブな感情の表出など、その心の痛みを感じないようにさまざまな反応を見せることがあります。自分が自分の身体の中にいないように感じたり、何か大切なことを思い出せなくなったり、嬉しい思いも悲しい思いも「何も感じなくなる」という人もいます。また、内科的な原因が見つからない頭痛や耳鳴りなどを経験する方もたくさんいます。

長い期間の心理療法や自分との向き合いを経て、自分のトラウマ体験は「すでに起きたこと」で、自分に大きな悲しみや恐怖を残したという事実を受容し、またそれにまつわる自分の複雑な感情をも正直に受け入れることができた際に、初めて自分の身体が戻ったと感じたり、本来感じていた感情をまざまざと感じられるようになり、自分の幸せのための一歩をようやく踏み出せるようになったという人もいます。第6章で紹介したベトナム戦争でのトラウマを引きずる退役軍人の患者さんも、そのトラウマやトラウマにまつわる感情を受容するラジカル・アクセプタンスのプロセスを歩んでいたと感じます。

パンデミック以降を生きる私たち一人ひとりにもまた、これからいろんな形でのラジカル・アクセプタンスがあることでしょう。そして、社会という大きな単位でもラジカル・

アクセプタンスがあることを信じたいと思っています。

私のラジカル・アクセプタンス

実はこの「ラジカル・アクセプタンス」という考え方が、私が分断を超えるソーシャルジャスティスと向き合うときの原点でもあります。

第4章で書いたように、『ドラえもん』の「しずかちゃん」の表象に日本社会が投影されており、その描写が日本社会に無意識の影響を与えていることに気付いたとき、それは私にとってのラジカル・アクセプタンスの瞬間でした。今までは女性として何か嫌悪感を覚えながらも見過ごしてきた自分の環境の問題に初めて目を向け、理解し、受け入れたことで、自分にかけていたプレッシャーや、言語化できなかった怒りや悲しみから解放されたのです。

と同時に、日本の女性を取り巻く状況がどんどんクリアに見えてきました。そして、私自身が、自分らしく幸せな人生を送るために、前進するには何が必要なのかも明確になりました。違和感を覚えつつもあわせようとしてきた女性像に最初から私がはまるはずはなかったと納得した途端に、自分らしく生きていいと思えるようになった気がします。

スイスの公園で、アジア人を罵《ののし》る言葉とともに唾をかけられた幼少期の経験も、同じように国際社会の中で日本人の置かれるポジションに気付かされる体験となり、それを受け入れたことで、私は世界的に思い描かれる日本人女性像を堂々と裏切る勇気と決意を持つことができました。

私にとっては、フェミニズムやソーシャルジャスティスへのアドボカシーそのものがラジカル・アクセプタンスなのかもしれません。考えると嫌な気分になるから、あるいは傷つくのは嫌だからと見て見ぬふりをするのではなく、女性、あるいは社会的マイノリティの置かれている現状を理解し、受容する。それによって自身の感情や取り巻く社会環境の解像度が一段上がり、それまで感じていたムズムズ感の呪縛から解放される。そして次の一歩を踏み出してみる。そのようなプロセスを辿ってきた気がします。

夫との出会い、息子たちへの感謝

私は、現実を受容し、「自分らしく生きていいんだ」と思うことで、日本を去る選択肢に向けて努力することができました。一歩踏み出したその先にあったのはイェール大学での研修医生活であり、ハーバード大学での指導医としての職だったのですが、それ以上に私にとって大切な出来事が、私らしく生きる私をそのまま愛してくれる夫との出会いでした。

夫と出会ったのは25歳のとき、アメリカに来て2年目の秋のことでした。渡米前に日本で大人気だった漫画『のだめカンタービレ』が大好きだった私は、音楽院も有名なイェール大学で学生が演奏する無料コンサートを毎週のように聴きに行っていました。夫は当時イェール大学音楽院の博士課程に在籍していたチェリストで、演奏会で姿を見てからひそかに「かっこいいな」と思っていたのですが、なかなか会う機会もありませんでした。

それが、ある秋の夜、仕事帰りに家に向かって車を運転していると、チェロを背負いながら学内のスーパーのようなお店に入っていく彼の姿を見かけたのです。「こんな機会はない！」と急いで駐車して、彼を追って私もお店の中に入って行きました。どのように話しかければいいのかと迷ってお店の中をウロウロ歩き回っていると、なんと気付かずに落とした私の手袋を彼が拾ってくれ、向こうから話しかけてくれたのでした。まるで『のだめカンタービレ』のワンシーンのような始まりの恋愛が長続きするだろうかと付き合い始めた当初は半信半疑だったのですが、お互いを知るにつれ愛が深まり、5年間の同棲を経て、結婚。今では3人の息子を一緒に育てています。

夫は、保守的なアメリカ中西部のあまり多様性のない小さな町でアジア系と欧米系のミックスのアメリカ人として育ちました。アメリカンフットボールなどスポーツ以外の課外活動にはあまり興味が向けられない雰囲気だったその地域で、スポーツもしながらクラシック音楽家として活躍する夫は、学校の友人からは奇異の目で見られたそうです。高校からは親元を離れて寮制の音楽大学附属校に通った夫ですが、もともと地域の常識のレールから外れていたからか、人に流されずに自分の意見を持ち、状況を冷静に分析し、言語化することが得意なのです。そんな芯の強さを持つ夫から私は多くのことを学んでいます。
また、夫は私の一番のサポーターで、私が成し遂げたいと思うことは全て成し遂げられるはずだと、私以上に信じて疑わないようです。私がハーバードで職を得たのも、「舞がやりたいことは、イェールよりもハーバードの方が合っているのではないか」と夫が示唆してくれたことがきっかけでした。このように私の能力を心から信じ、キャリアの前進を喜び、誇りに思ってくれる夫の存在は間違いなく私の力になっています。

子どもが生まれてからは、時間に追われながらの忙しい毎日ですが、息子たちからも日々新しい経験をさせてもらっています。先日、息子たちをお風呂に入れたとき、夫と一緒に洗面台に寄りかかりながら、まだお風呂から出ない息子たちを見ていたことがありました。泡風呂の泡をお互いに付けて笑ったり、シュノーケルのゴーグルをしながらお風呂

コロナ禍の内田家の家族近影

にもぐる長男と次男を見て三男がキャッキャと喜んだり、はしゃぐ三男を長男と次男が抱っこしてお湯につかる姿を見ながら、幸せな感情が溢れ出て少し涙目になった夫が「この美しい人間たちは僕らから生まれたんだ」と私の肩を抱きました。

大学時代に「私らしく生きるために」と一歩踏み出した私ですが、「私らしく生きる」とはまさに、こうやって夫と共に息子たちの交流を見る幸せのことなのではないかと感じました。

気づきの声、社会の歌

２０１５年にアメリカで大ヒットしたミュージカル『ハミルトン（Hamilton）』はアメリカ建国の父、ジョージ・ワシントン初代大統領の右腕として初代財務長官を務めたアレクサンダー・ハミルトンの生涯を、ラップとヒップホップ音楽で語り、“This is a story about America then, told by America now.”（当時のアメリカの物語を今のアメリカが語る）という主張に従い、現実には白人だったトーマス・ジェファーソン大統領などの役に有色人種の俳優がキャスティングされるという驚きの詰まった舞台です。

建国の父の一人、ハミルトンは１７５５年にカリブ海の島で非嫡出子として生まれ、母親を亡くした孤児でした。そんな逆境に生まれながらも、並々ならぬ頭脳が評価され、アメリカ本土の大学に進学した移民、そして移民でありながらアメリカ建国の土台を作った一人でした。自身がプエルトリコ系であるリン＝マニュエル・ミランダが、脚本、作詞、作曲をしただけでなく、主役のアレクサンダー・ハミルトン役を務め、彼の移民2世、アメリカのマイノリティ人種としてのアイデンティティがこの舞台に大きく表れています。

しかし、このような進歩的なミュージカルでも、女性にはサポーターとしての役しかなく、その批判を受けてリン＝マニュエル・ミランダは、将来的には女性であってもジョージ・ワシントン役などにキャスティングされるようなジェンダーを超えた配役もいいのではないかと答えました。批判もあるものの、このミュージカル自体がアメリカ社会が持つエネルギーを投影し、ジェンダーや人種の多様性をめぐる社会の議論をさらに喚起したように、ポジティブなアドボカシーだったことは間違いありません。

そんなミュージカル『ハミルトン』の中で、私はハミルトンのライバル、アロン・バー副大統領の次の一言が凄く気に入っています。

“I am the one thing in life I can control. I am inimitable. I am an original.”（世の中で自分

自身は唯一コントロールできるものだ。自分の代役は立てられない。自分はオリジナルだ）

独立戦争中のアメリカほどではないかもしれませんが、このパンデミック以降の世界に目を向けて見ただけでも、各地で革命の萌芽や戦争や変化を希求するデモがさまざまに起き、沈黙が破られるという大きな社会的変動の胎動が感じられます。社会的な変化にともなって、今まで以上に色んな人との交流や色んな状況を経験しなければなりません。コントロールできないことの方が多いと感じる中でも、自分が何をどのように決断するか、行動するかは自分のコントロール下にあること、そしてその「自分」という人の代わりは誰もいなく、自分は唯一無二のオリジナルな「自分」なのだ、という言葉に背中を押されるのです。

もう一つ、アメリカの国としての基盤を造りながら、アメリカがどのような国になるか、その未来を見届けられなかったアレクサンダー・ハミルトンの49歳の死に際しての言葉も胸に響きます。

“Legacy. What is a legacy? It’s planting seeds in a garden you never get to see. I wrote some notes at the beginning of a song someone will sing for me. America, you great unfinished symphony, you sent for me. You let me make a difference.”（レガシーとは何か？　それは自分は目にすることのない花畑の種をまくこと。誰かが僕のために歌う歌の最初の音符を書いた。アメリカというまだ完成していない交響曲が僕を呼んで、社会に変化を起こす機会をくれた）

国によって異なる時間が流れていて、それぞれの背負う背景も置かれた状況も異なりますが、どの社会も前進を止めないでほしいと思います。気付くことが第一歩。気づきを声にしてみることが第二歩。その気づきの声が共鳴するたびに、社会の歌が生まれます。その歌が社会をさらに前進させる。

日本はもしかしたら変化を感じにくいムードに覆われているかもしれませんが、まずは自分の思いに素直に耳を傾け、その思いが社会とも無縁ではないと信じてみること。それがソーシャルジャスティスの種になり、そこから未来の分断を超える変化が育つのだと信じています。

私もまた自分のために、社会のために、未来のために何ができるのか。誰かのために、小さな一歩でも前に進む種まきの手助けができたら光栄だと思っています。

内田　舞（うちだ まい）

小児精神科医、ハーバード大学医学部准教授、マサチューセッツ総合病院小児うつ病センター長、3児の母。2007年北海道大学医学部卒、2011年イェール大学精神科研修修了、2013年ハーバード大学・マサチューセッツ総合病院小児精神科研修修了。日本の医学部在学中に、米国医師国家試験に合格、研修医として採用され、日本の医学部卒業者として史上最年少の米国臨床医となった。趣味は絵画、裁縫、料理、フィギュアスケート。子供の心や脳の科学、また一般の科学リテラシー向上に向けて、三男を妊娠中に新型コロナワクチンを接種した体験などを発信している。著書に『天才たちの未来予測図』（高橋弘樹・編著、成田悠輔、斎藤幸平、小島武仁との共著、マガジンハウス新書）がある。本書が初の単著となる。

文春新書

1406

ソーシャルジャスティス
小《しよう》児《に》精神《せいしん》科《か》医《い》、社会《しやかい》を診《み》る

2023年 4 月20日　第 1 刷発行
2024年10月30日　第 6 刷発行

著　者　内田　舞
発行者　大松芳男
発行所　株式会社 文藝春秋

〒102-8008　東京都千代田区紀尾井町3-23
電話（03）3265-1211（代表）

印刷所　大日本印刷
製本所　大口製本

定価はカバーに表示してあります。
万一、落丁・乱丁の場合は小社製作部宛お送り下さい。
送料小社負担でお取替え致します。

ISBN978-4-16-661406-6